Beleza em vez de cinzas

RECEBENDO CURA EMOCIONAL

JOYCE MEYER

Beleza em vez de cinzas

RECEBENDO CURA EMOCIONAL

1ª Edição

Diretor
Lester Bello

Autora
Joyce Meyer

Título Original
Beauty for Ashes

Tradução
Ana Paula Barroso Magalhães

Revisão
Tucha

Editoração Eletrônica
Rute Gouvêa

Design capa (Adaptação)
Fernando Duarte / Ronald Machado

Impressão e Acabamento
Promove Artes Gráficas

Rua Vera Lúcia Pereira, 122
Goiania - CEP 31.950-060
Belo Horizonte/MG - Brasil
contato@bellopublicacoes.com
www.bellopublicacoes.com

Publicado pela Bello Com. e Publicações Ltda-ME. com devida autorização de FaithWords, New York, New York.

1ª Edição - Abril 2006
Reimpressão - Julho 2016

M612 Meyer, Joyce, 1943 -
Beleza em vez de cinzas: recebendo cura emocional/Joyce Meyer; [tradução Ana Paula Barroso Magalhães] - Belo Horizonte: Bello Publicações, 2016.

Título original: Beauty for ashes.
Bibliografia.
ISBN: 978.85.61721.20-6

1. Adultos vítimas de abuso sexual quando crianças - Vida religiosa 2. Cura – Aspectos religiosos - Cristianismo 3. Meyer, Joyce, 1943 – I. Título.

06-3929 CDD: 248.66

Dedico este livro ao meu marido Dave, que me mostrou o amor de Jesus enquanto minha cura ainda estava em andamento.

Obrigada, Dave, por me deixar ser eu mesma, embora eu não fosse uma companhia tão agradável; por sempre ser paciente e positivo; e por crer que Deus me transformaria quando isso parecia impossível.

Creio que este livro é tão seu quanto meu, e agradeço a Deus por ter decidido colocar você em minha vida. Você, verdadeiramente, sempre foi "meu cavaleiro da armadura brilhante".

Sumário

Introdução

Se sua alegria se perdeu por causa de feridas emocionais ou se você foi abusado ou sofre com sentimentos de rejeição, quero encorajá-lo a ler este livro. Se você já assistiu a algum dos meus programas na TV, deve ter me ouvido contar que fui abusada em minha infância e adolescência. De fato, minha vida era como um amontoado de cinzas antes de eu conhecer o Senhor e ser liberta-da pela verdade da Sua Palavra.

Esta não é uma história que relata todos os detalhes desagra-dáveis do meu próprio passado, mas compartilho o suficiente so-bre minha vida para que você saiba que compreendo o que signi-fica sentir-se sem esperança e rejeitado. Há alguns anos, Deus me inspirou a compartilhar essas verdades para ajudar a libertar aqueles que estavam em situações semelhantes. Desde a primeira edição deste livro, tenho ouvido milhares de pessoas compartilhar quan-to precisam de oração e ensino para que possam caminhar em vitória na vida que Deus planejou para elas. Elas têm testificado que este livro tem sido de grande ajuda para isso.

Recentemente, o Senhor encorajou-me a expandir o conteú-do deste livro a fim de trazer um fundamento sólido às pessoas que estiverem prontas a deixar seu passado e a se moverem para a vida que Deus deseja que elas desfrutem. Baseada em minha pró-pria experiência e nos estudos extensivos que tenho feito sobre desajustes comportamentais causados pelo abuso, compartilho como o amor de Deus pode fazê-lo superar os resultados negati-vos do abuso no passado. Abordo também os dois tipos de dor que uma pessoa abusada pode enfrentar – a dor da mudança ou a dor de permanecer a mesma –, assim como seis passos para alcançar a cura emocional.

Fugir do passado não leva à cura, por isso apresento várias formas de como as pessoas fogem do passado para que você não venha atrasar sua própria vitória. Explicarei como atravessar as portas do sofrimento que têm se tornado um obstáculo para o futuro.

Se você precisa abandonar o passado, receber fortalecimento interior de Deus que o capacite a confiar nos outros, a desenvolver e a manter relacionamentos íntimos, bem como desfrutar sua vida novamente, então este livro é para você. Uma vez que você comece, prossiga lendo até o fim para alcançar as boas notícias da recompensa para a qual Deus o destinou.

Sei, por experiência própria, que Deus é recompensador daqueles que diligentemente o buscam. Você pode aprender a livrar-se do problema e receber dupla recompensa por tudo o que já enfrentou.

PARTE UM

Eu Estive na Prisão

Alguns que se assentaram nas trevas e nas sombras da morte, presos em aflição e em ferros, por se terem rebelado contra a palavra de Deus e haverem desprezado o conselho do Altíssimo.

Salmo 107:10-11 (ARA)

1

Troféus da Graça

Muitas pessoas parecem estar bem exteriormente, mas por dentro a alma está em ruínas porque foram traumatizadas pelo abuso. Uma vítima de um trauma é alguém que foi ferido física ou emocionalmente por algum choque súbito ou substancial que criou danos graves e duradouros para o seu desenvolvimento psicológico.

Creio que há muitas pessoas traumatizadas no mundo que foram tão abusadas no passado que se tornaram psicologicamente deficientes, incapazes de agir normalmente em sua vida cotidiana. Há pessoas que atravessaram traumas tão graves que isso arruinou suas emoções e, por ter sido algo tão doloroso, tornou-se até inexprimível.

Sobreviver ao trauma do abuso pode levar as pessoas a um estado de dano psicológico que as impede de se relacionar adequadamente com os outros. Tais vítimas não compreendem o que está errado com elas ou como sair de seus padrões destrutivos de comportamento para que possam viver uma vida normal. Essa era a minha situação antes que eu aprendesse como obter a vitória sobre o trauma em minha vida.

Ao buscar a Deus e ler a Sua Palavra, descobri que o principal interesse do Senhor é a nossa vida *interior*, porque é nela que desfrutamos a presença dEle. Jesus disse: "Eis que o reino de Deus está *dentro de vós* [em vossos corações] *e* entre vós [ao vosso redor]" (Lucas 17.21, grifo da autora).

Este livro é um resumo da maneira como Deus me ensinou a triunfar por intermédio de Cristo sobre a tragédia do abuso em minha vida. Após ter passado muitos anos pregando Sua Palavra, Deus me levou a 2 Coríntios 2.14: "Graças, porém, a Deus, que em Cristo, sempre nos conduz em triunfo [como troféus da vitória de Cristo] e, por meio de nós, manifesta em todo lugar a fragância do Seu conhecimento".

Numa manhã do feriado de Ações de Graças, um sentimento de gratidão começou a se levantar dentro de mim à medida que eu considerava tudo o que Deus fizera em minha vida. Ele falou algo ao meu coração naquele dia: "Joyce, você é um troféu da Minha graça, e você tem Me ajudado a obter outros troféus". Então, tive uma visão de uma estante celestial cheia de troféus. Compreendi que quando alguém ganha troféus é porque essa pessoa é uma campeã naquilo que faz. Se as pessoas têm troféus de beisebol, golfe ou boliche exibidos em casa, é óbvio que elas gastaram tempo desenvolvendo suas habilidades nesses esportes.

Deus é o Campeão em trazer pessoas de um lugar de destruição para um lugar de vitória total. À medida que alcançam tal lugar de vitória, elas se tornam como troféus da Sua graça, postas em exibição como um memorial de aroma suave da bondade de Deus. Compartilho meu testemunho neste livro para ajudar aqueles que ainda estão no processo de tornar-se um troféu para Deus.

Por meio das tragédias e triunfos, aprendi que Jesus é o meu Rei, e Ele quer ser o seu Rei também. O Reino que Ele deseja governar é a sua vida interior – sua mente, sua vontade, suas emoções, seus desejos e seus pensamentos. A Palavra de Deus ensina claramente que o Reino de Deus "não se trata de [obter a] comida e bebida [que alguém deseje], mas, pelo contrário, é justiça (aquele estado que torna uma pessoa aceitável a Deus) e paz e alegria [de coração] no Espírito Santo. Aquele que segue a Cristo desta forma é aceitável e agradável a Deus e aprovado pelos homens" (Romanos 14. 17-18).

Em outras palavras, se o Reino de Deus governa nosso interior, desfrutaremos justiça, paz e alegria no Espírito Santo. Também seremos aceitáveis a Deus e aprovados pelos homens. Jesus disse que não devemos nos preocupar com as coisas exteriores, tais como comida e roupas, mas: "Buscai (desejai e lutai por) em primeiro lugar todo o Seu reino e a Sua justiça (Sua forma de agir e de ser correto), e então todas essas coisas juntas vos serão acrescentadas" (Mateus 6.33).

Antes de tudo, devemos buscar o Reino de Deus, *que está dentro de nós*, e, então, todas as nossas necessidades exteriores serão supridas. Quando aceitamos Jesus como o nosso Senhor, Ele governa nossa vida interior e traz consigo a justiça, a paz e a alegria. Não importa quais dificuldades ou tribulações possamos experimentar em nossa vida exterior, se nosso interior estiver em harmonia, não apenas sobreviveremos, mas iremos *desfrutar* nossa vida.

Nossa vida interior com Deus é muito mais importante do que nossa vida exterior. Portanto, a cura emocional, à qual também me refiro como cura interior, é um assunto que necessita ser abordado biblicamente e de modo equilibrado para produzir resultados proveitosos. O apóstolo Paulo disse que podemos nos assegurar de que "aquele que ressuscitou o Senhor Jesus também nos ressuscitará com Jesus e nos apresentará... em Sua Presença" (2 Coríntios 4.14). Nos versículos 16-18, ele continuou:

> Portanto não nos tornemos desanimados e (completamente desencorajados, exaustos ou enfraquecidos pelo medo). Ainda que nosso homem exterior esteja [progressivamente] se corrompendo e se enfraquecendo, contudo, nosso ser interior está sendo [progressivamente] renovado, dia após dia.

> Pois a nossa leve e momentânea tribulação (essa insignificante aflição passageira) está preparando, produzindo e obtendo para nós mais e mais abundantemente um eterno peso de glória [além de toda medida, excessivamente superior a toda a comparação e a todos os cálculos, uma vasta e transcendente glória e bênção que nunca cessa!].
>
> Pois não consideramos, nem buscamos as coisas que se vêem, mas sim as que não se vêem, pois as coisas que são visíveis são temporais (breves e passageiras), mas as coisas invisíveis são imortais e eternas.

Todos nós estamos sujeitos ao que Paulo chama de "momentânea tribulação", e alguns têm passado pelo que parece ser um tempo de sofrimento emocional insuportável. Jesus veio "anunciar a libertação aos cativos e a recuperação de vista aos cegos, a libertar aqueles que estão oprimidos [que foram escravizados, machucados, esmagados e arruinados pela calamidade]" (Lucas 4.18-19).

A versão King James do versículo 18 diz que Jesus afirma que Ele veio "curar o quebrantado de coração". De acordo com a *Concordância Exaustiva de Strong*, a palavra traduzida por "quebrantado de coração" nesse versículo é uma combinação de duas palavras gregas, *kardia*, que significa simplesmente "coração",[1] e *suntribo*, que significa "*esmagar completamente*, isto é, *despedaçar*... quebrar (em pedaços), machucar".[2] Creio que Jesus veio curar aqueles que estão despedaçados interiormente, aqueles que foram esmagados e feridos *por dentro*.

Se você foi traumatizado pelo abuso, minha esperança é que este livro sirva como um mapa para tirá-lo das cinzas da devastação para a beleza da cura e integridade em seu interior. Oro para que esta mensagem seja simples, clara e poderosa para você e que o Espírito Santo o capacite a segui-Lo para o seu destino de paz e alegria.

Minha oração por você é uma paráfrase de Efésios 3.16:

Oro para que você seja fortalecido em seu homem interior por intermédio do poder do Espírito Santo e que Ele habite em seu ser e em sua personalidade.

Encorajo-o também a lembrar-se sempre da promessa de Deus encontrada em Hebreus 13.5-6:

> Pois Ele, o próprio [Deus] disse: Eu, de forma alguma falharei com você, *nem* o abandonarei, *nem* o deixarei sem apoio. (Eu) nunca, nunca, de forma alguma, o deixarei sem ajuda ou nem o abandonarei nem o desampararei (nem largarei você)! [Seguramente não].
>
> Assim sejamos confortados e encorajados de modo a dizer confiante e ousadamente: O Senhor é o meu Ajudador, eu não me assustarei [eu não temerei, nem me apavorarei, nem serei aterrorizado]. O que me poderá fazer o homem?

2

As Cinzas do Abuso

Creio que muitas pessoas sofrem abusos de uma forma ou de outra durante a vida. Quase todas as pessoas podem se lembrar de um tempo em que foram maltratadas. Também creio que há multidões de pessoas gravemente traumatizadas pelo abuso que lhes foi infligido.

Algumas das definições para o verbo *abusar* são: "Usar de forma imprópria ou errada", "ENGANAR"; "Usar de forma a injuriar ou danificar: MALTRATAR"; "Atacar com palavras: INSULTAR". As definições para o substantivo *abuso* incluem: "Uma prática ou costume corrupto"; "O uso ou tratamento impróprio ou excessivo: MAU USO"; "uma atitude enganosa: ENGANO"; "A linguagem que condena ou difama... de forma injusta, desequilibrada e irada"; "Maus tratos físicos".[3]

Algumas formas comuns de abuso são: físico, verbal, mental, emocional e sexual. Qualquer forma de abuso contínuo pode produzir uma raiz de rejeição no indivíduo que tem sido maltratado, e esse sentimento de indignidade pode, então, causar problemas graves nos relacionamentos interpessoais desse indivíduo. Hoje vivemos numa sociedade cheia de pessoas que não sabem como lidar com as outras; embora o abuso na vida deles tenha cessado, o resíduo do trauma continua a afetar sua habilidade de relacionar-se com os outros.

Deus nos criou para o amor e a aceitação, mas o diabo trabalha arduamente para nos manter com o sentimento de rejeição, porque ele sabe que a falta de valorização própria e o sentimento de rejeição enraizado arruínam indivíduos, famílias e relacionamentos.

Os tipos de abuso mencionados acima, sejam eles na forma de relacionamentos quebrados, abandono, divórcio, acusações falsas, exclusão de um grupo, rejeição por professores e outras autoridades, ridicularização por colegas, ou qualquer uma de centenas de ações ofensivas, podem causar feridas emocionais que impedem as pessoas de manter relacionamentos saudáveis e duradouros.

Você já Foi Abusado?

Se você foi tratado de forma indevida ou imprópria, isso pode ter afetado profundamente seu estado emocional. Mas, para ser curado da dor do abuso, você tem de *desejar* ser saudável.

Uma das minhas passagens favoritas (e que considero uma das mais surpreendentes) das Escrituras está no evangelho de João, capítulo 5. No versículo 5, é dito que Jesus viu um homem deitado em seu leito junto ao tanque de Betesda, acometido por profunda e prolongada enfermidade por 38 anos. Apesar de saber por quanto tempo este pobre homem estava naquela terrível condição, Jesus perguntou-lhe: "Queres ser curado? [Você realmente está determinado a receber sua cura?]" (v. 6).

Que tipo de pergunta para se fazer a alguém que estava padecendo por tanto tempo! Contudo, essa pergunta era apropriada porque nem todos desejam a cura em intensidade suficiente para fazer tudo o que é requerido. Feridas emocionais podem se tornar uma prisão que mantém o "eu" do lado de dentro e os outros do lado de fora. Jesus veio para abrir as portas das prisões e libertar os cativos (veja Lucas 4.18-19).

Esse homem de Betesda, como muitas pessoas hoje, tinha uma enfermidade profunda e antiga. Estou certa de que após 38 anos ele aprendeu como conviver com essa enfermidade. As pessoas que estão em prisão conseguem se adaptar, mas elas não são livres. Contudo, alguns prisioneiros, seja física ou emocionalmente, tornam-se tão acostumados a estar em escravidão que se acomodam com sua condição e aprendem a conviver com isso.

Você é um "prisioneiro emocional"? Se for, há quanto tempo você tem estado nessa condição? É também uma enfermidade profunda e antiga? Você quer se ver livre disso? Jesus quer curá-lo. Você deseja ser curado?

Você Quer Ser Livre e Curado?

Obter a liberdade da escravidão emocional não é algo simples. Serei honesta desde o início e direi, sinceramente, que para muitas, muitas pessoas ser livre da dor do passado não é fácil. Essa abordagem poderá provocar sentimentos e emoções que elas têm tentado ocultar em vez de enfrentar. Você pode ser uma dessas pessoas.

Talvez você tenha experimentado sentimentos e emoções no passado que foram dolorosos demais para lidar e, assim, cada vez que eles vêm a sua memória, então você diz a Deus: "Não estou pronto ainda, Senhor! Enfrentarei esse problema mais tarde"! Este livro lidará com a dor emocional causada pelo que os outros possam ter feito a você e também com a sua responsabilidade diante de Deus para superar esses traumas com o objetivo de ser curado.

Algumas pessoas (na verdade, um grande número) passam por um período difícil para aceitar a responsabilidade pela sua própria saúde emocional. Nestas páginas, lidaremos de uma forma prática com o perdão, a ira reprimida, a autopiedade, a síndrome de ficar amuado, a atitude "você me deve algo", e muitas, muitas outras atitudes venenosas que precisam ser purificadas se você quiser realmente tornar-se saudável.

Você pode pensar: *Mas quem lidará com a pessoa que me feriu?* Abordaremos essa questão também. Você pode também estar se perguntando: *O que faz essa mulher pensar que é uma autoridade neste assunto de emoções, especialmente as minhas?* Talvez haja perguntas que você gostaria de fazer-me, tais como: "Você tem formação em psicologia? Onde você estudou? Você já passou por algumas das coisas pelas quais passei? Como você sabe o que é estar numa prisão emocional"?

Tenho respostas para todas essas perguntas, assim, se você for corajoso o suficiente para enfrentar sua situação e determinar-se realmente a ser curado, então continue lendo.

Fui Abusada

Minha formação escolar, minha experiência e minhas qualificações para ensinar sobre esse assunto vêm da minha experiência pessoal. Eu sempre digo: "Sou graduada pela escola da vida". Reivindico as palavras do profeta Isaías como meu diploma:

> O Espírito do Senhor Deus está sobre mim, porque o Senhor me ungiu e me qualificou para pregar o Evangelho das boas-novas aos humildes, aos pobres e aflitos; Ele enviou-me a por ligaduras e a curar os quebrantados de coração; a proclamar libertação aos cativos [físicos e espirituais] e a abertura das prisões e dos olhos daqueles que estão algemados;
>
> A proclamar o ano aceitável do Senhor [o ano do Seu favor] e o dia da vingança do nosso Deus; a consolar todos os que choram,
>
> e a pôr [consolação e alegria] sobre os que em Sião estão de luto, *um ornamento de beleza (uma grinalda ou diadema) em vez de cinzas*, óleo de alegria, em vez de pranto, veste [expressiva] de louvor, em vez de espírito angustia-

> do, oprimido e abatido – a fim de que se chamem carvalhos de justiça [imponentes, fortes e suntuosos, destacados pela retidão, justiça e postura correta com Deus], plantados pelo Senhor para que Ele possa ser glorificado (Isaías 61.1-3, grifo da autora).

Deus transformou minhas cinzas em beleza e tem me chamado para ajudar outros a aprender a permitir que Ele faça o mesmo por eles.

Fui abusada sexual, física, verbal, mental e emocionalmente desde que posso me lembrar, até que finalmente deixei minha casa aos 18 anos. De fato, vários homens abusaram de mim em minha infância. Fui rejeitada, abandonada, traída e enfrentei um divórcio. Eu sei o que é ser uma "prisioneira emocional".

Meu propósito ao escrever este livro não é dar meu testemunho completo em detalhes, mas trazer-lhe o suficiente de minha própria experiência para que você possa acreditar que sei o que significa ser ferida. Posso mostrar-lhe como se recuperar do sofrimento e do trauma do abuso. Quero ajudar você, e posso fazer isso de uma forma melhor se realmente crer que compreendo o que você está passando.

Antes de começar a abordar os detalhes da minha infância e compartilhar algumas das coisas que experimentei, desejo dizer que minha intenção não é difamar meus pais de forma alguma. Desde a primeira edição deste livro, Deus tem sido fiel em restaurar o meu relacionamento com eles.

Mas tenho aprendido que pessoas feridas ferem outras pessoas; que a maioria das pessoas que ferem os outros foi ferida por alguém. Deus capacitou-me pela sua graça a dizer: "Pai, perdoa-lhes, pois eles realmente não sabiam o que estavam fazendo".

Conto esta história somente com o propósito de ajudar aqueles que, como eu, foram abusados.

3

A Companhia do Medo

Por causa do abuso sexual e emocional que sofri em meu lar, minha infância foi cheia de medo. Meu pai me controlava com sua ira e intimidação. Ele nunca me forçou fisicamente a submeter-me a ele, mas eu tinha tanto medo de sua ira que fazia tudo o que ele me pedia. Ele me forçava a fingir que eu gostava daquilo que ele estava fazendo comigo e que eu desejava que ele o fizesse.

As poucas vezes em que timidamente tentei falar com honestidade sobre minha situação foram devastadoras. As reações violentas de meu pai, sua fúria e cólera eram tão amedrontadoras para mim que logo aprendi apenas a fazer o que ele dissesse, sem objeção. Acredito que minha inabilidade para expressar meus verdadeiros sentimentos sobre o que estava acontecendo e ser forçada a agir como se eu gostasse das coisas perversas que ele fazia a mim deixaram-me com feridas emocionais bastante profundas.

Meu pai trabalhava à noite e voltava para casa cerca de meia-noite. Posso me lembrar como todo meu ser tremia de medo logo que ouvia sua chave mexendo na fechadura. Eu ficava completamente tensa, porque eu nunca sabia se ele viria até meu quarto e tentaria colocar suas mãos em mim, ou se chegaria furioso com algo de que não gostou.

Uma das coisas mais difíceis para mim era a falta de estabilidade por não saber o que esperar; eu vivia com medo por nunca saber o que podia ou não podia fazer. Eu poderia fazer alguma coisa um dia e meu pai se agradar daquilo, mas eu poderia fazer exatamente a mesma coisa poucos dias mais tarde e levar uma surra por isso.

O medo era minha constante companhia: medo de meu pai, medo da sua ira, medo de ser exposta, medo de minha mãe descobrir o que estava acontecendo e medo de ter amigos.

Meu medo de ter amigos vinha de dois fatores: se fossem mulheres, eu tinha medo de que meu pai tentasse atraí-las para sua armadilha também. Se fossem homens, eu tinha medo de que meu pai os maltratasse ou a mim. Ele me acusava violentamente de ter relacionamentos sexuais com os rapazes da escola. Ele não permitia que ninguém se aproximasse de mim porque eu "pertencia" a ele.

Durante o ensino médio, nunca me foi permitido ir a um jogo de futebol, de beisebol ou de basquete. Eu tentava desenvolver relacionamentos na escola, mas nunca permitia que tais relacionamentos amadurecessem a ponto de convidar meus novos amigos para irem a minha casa. Eu nunca deixei ninguém se sentir livre para me visitar. Se o telefone tocava e era para mim, eu pensava apavorada: *E se for alguém da escola?*

Durante todo o tempo, eu estava lidando com o medo, seja de ter amigos, seja de permanecer solitária, e, assim, não me envolvia com ninguém a ponto de tornar-se potencialmente um desastre para eles, e que certamente me causaria mais embaraço e vergonha.

MEDO! MEDO! MEDO!

Meu pai bebia muito a cada fim de semana e freqüentemente me levava com ele em suas bebedeiras, bem como me usava fisicamente de acordo com a sua vontade. Muitas vezes, ele vinha para casa furioso e batia em minha mãe. Certa vez, ele bateu nela porque achava que o nariz dela era grande. Ele não me batia com freqüência, mas creio que vê-lo bater sem motivo em minha mãe era tão terrível como se estivesse batendo em mim.

Meu pai controlava tudo o que acontecia ao seu redor. Ele decidia a que horas deveríamos acordar e dormir; o que deveríamos comer, vestir; em que gastar; com quem nos relacionarmos; ao que assistir na TV – em resumo, ele controlava tudo em nossa vida. Era verbalmente abusivo tanto com minha mãe quanto comigo e, à vezes, com meu único irmão, que nasceu quando eu tinha 9 anos de idade. Lembro-me de desejar desesperadamente que o novo bebê fosse uma menina. Eu pensava que, talvez, se houvesse outra menina na família eu poderia ser deixada em paz, ao menos parte do tempo.

Meu pai nos amaldiçoava quase constantemente, usando uma linguagem extremamente vulgar e obscena. Ele era crítico a respeito de tudo e de todos. Em sua opinião, nenhum de nós fazia nada certo ou algo que valesse a pena. A maioria do tempo, éramos lembrados de que "não prestávamos".

Às vezes, ele agia de forma justamente oposta. Ele nos dava dinheiro e nos dizia para fazer compras; algumas vezes, até comprava presentes para nós. Mas era manipulador e controlador, fazendo o que precisasse para alcançar o que desejava. Outras pessoas não tinham valor algum para ele, exceto ao usá-las para cumprir seus propósitos egoístas.

Não havia paz em nosso lar. Realmente eu não sabia o que era a paz real até crescer e mergulhar na Palavra de Deus por muitos anos.

Nasci de novo com a idade de 9 anos, enquanto visitava parentes fora da cidade. Uma noite, fui com eles até uma reunião da igreja, pretendendo encontrar a salvação. Não sei dizer como percebi que precisava ser salva, mas Deus deve ter colocado esse desejo dentro de meu coração. Aceitei Jesus Cristo como meu Salvador naquela noite e experimentei uma gloriosa purificação. Antes daquele momento, sempre me sentia suja por causa do incesto. Mas ali, pela primeira vez, me senti limpa, como se tivesse recebido um banho interior. Contudo, como o problema não terminou, assim que voltei para casa meu antigo sentimento retornou. Eu pensava que tinha perdido Jesus, e assim eu não conhecia ainda a paz real e a alegria interior.

A Traição

E quanto à minha mãe? Onde ela ficava nisso tudo? Por que ela não me ajudava? Eu tinha entre oito e 9 anos de idade quando lhe contei o que estava acontecendo entre meu pai e mim. Ela me examinou e confrontou meu pai, mas ele alegou que eu estava mentindo, e ela escolheu acreditar mais nele do que em mim. Qual mulher não preferiria acreditar em seu marido em tal situação? Penso que, no seu íntimo, minha mãe sabia a verdade. Ela apenas tinha a esperança de que eu estivesse errada.

Quando fiz 14 anos de idade, ela chegou em casa um dia, tendo retornado mais cedo do que o esperado do supermercado, e realmente pegou meu pai abusando sexualmente de mim. Ela olhou, saiu e voltou duas horas depois agindo como se não tivesse estado ali antes.

Minha mãe me traiu.

Ela não me ajudou e deveria tê-lo feito.

Muitos anos mais tarde (na verdade, trinta anos mais tarde), ela me confessou que simplesmente não conseguia enfrentar aquele escândalo. Ela nunca mencionou isso por trinta anos! Durante esse período, ela tinha sofrido uma crise nervosa. Todos que a conheciam achavam que se tratava de "menopausa".

Por dois anos, ela submeteu-se a tratamentos de choque, o que temporariamente apagou porções de sua memória. Nenhum dos médicos sabia o que eles a estavam ajudando a esquecer, mas todos concordaram que ela precisava esquecer-se de algo. Era óbvio que havia algo em sua mente que estava afetando sua saúde mental.

Minha mãe alegava que seu problema era causado por sua condição física. Ela passou por um período muito difícil em sua vida por causa de graves problemas ginecológicos. Após uma completa histerectomia aos 36 anos, ela entrou em uma menopausa prematura. Naquela época, a maioria dos médicos não costumava dar hormônios para mulheres, por isso esse foi um tempo muito duro para ela. Parecia que tudo em sua vida era mais difícil do que ela poderia suportar.

Pessoalmente, creio que o colapso emocional de minha mãe foi resultado de anos de abuso que ela suportou e da verdade que ela se recusava a enfrentar. Lembre-se: em João 8.32 (ARA) nosso Senhor nos diz: "...e conhecereis a verdade, e a verdade vos libertará".

A Palavra de Deus é a verdade e, se aplicada, tem poder em si mesma para libertar o cativo. A Palavra de Deus também nos coloca face a face com as questões de nossa vida. Se escolhermos voltar e fugir quando o Senhor nos diz para permanecermos e enfrentarmos, continuaremos em escravidão.

Saindo de Casa

Com 18 anos, saí de casa enquanto meu pai estava no trabalho. Pouco depois, casei-me com o primeiro jovem que mostrou interesse por mim.

Como eu, meu novo marido era cheio de problemas. Era um homem manipulador, ladrão e trapaceiro. Na maior parte do tempo, ele nem mesmo trabalhava. Nós nos mudamos várias vezes, e em certa ocasião ele me abandonou na Califórnia sem nada, além de uma moeda de US$ 0,10 e uma caixa de refrigerantes. Eu estava assustada, mas, como já estava acostumada a sentir medo e traumas, provavelmente não fui tão afetada como alguém com "menos experiência" seria.

Meu marido me abandonava várias vezes simplesmente indo embora durante o dia enquanto eu estava trabalhando. Cada vez que ele partia, sumia por poucas semanas ou por vários meses e, então, subitamente voltava, e eu ouvia sua conversa mole e desculpas, e o aceitava de volta, apenas para ver tudo acontecer novamente. Quando estava comigo, ele bebia constantemente e relacionava-se com outras mulheres regularmente.

Por cinco anos, fizemos de conta que tínhamos um casamento. Nós éramos muito jovens, ambos com 18 anos, e não viemos de famílias estruturadas. Éramos completamente mal equipados para ajudar um ao outro. Meus problemas complicaram-se ainda mais após um aborto com 21 anos e o nascimento de meu filho mais velho quando eu tinha 22 anos. Isso aconteceu durante o último ano do nosso casamento. Meu marido me deixou e foi morar com outra mulher que vivia a dois quarteirões de nossa casa, dizendo a todos que queriam ouvir que a criança que eu carregava não era dele.

Eu me lembro de ter chegado quase à loucura durante o verão de 1965. Durante minha gestação, perdi peso porque não comia. Sem amigos, dinheiro, ou segurança, eu ia ao hospital, vendo um médico diferente cada vez que era examinada. Na verdade, os médicos que me atendiam eram residentes em treinamento.

Eu não conseguia dormir, e assim comecei a tomar soníferos sem conta. Graças a Deus por isso não ter prejudicado meu bebê ou a mim.

A temperatura daquele verão subiu muito e não havia ventilador ou ar-condicionado em meu apartamento, localizado em um sótão, no terceiro andar. Minha única possessão material era um velho automóvel que apresentava sobreaquecimento regularmente.

Já que meu pai sempre insistiu em que algum dia eu precisaria de sua ajuda e voltaria rastejando para ele, eu estava determinada a tudo, menos a voltar, embora não soubesse o que fazer.

Eu me lembro de ter estado sob tamanha pressão mental que costumava me sentar e olhar fixamente para as paredes e pela janela por horas, sem ao menos perceber o que estava fazendo. Trabalhei até meu bebê estar prestes a nascer. Quando tive de sair do trabalho, minha cabeleireira e a mãe dela tomaram conta de mim.

Meu bebê nasceu quatro semanas e meia depois. Eu não tinha idéia do que esperar e nenhuma noção de como cuidar dele quando nasceu. Quando o bebê chegou, meu marido apareceu no hospital. Já que o bebê se parecia muito com ele, não havia como negar que era dele. Uma vez mais ele disse que se desculpava e que iria mudar.

Quando chegou o momento de sair do hospital, não tínhamos lugar para morar, e, então, meu marido contatou a ex-esposa do seu irmão, que era uma maravilhosa mulher cristã, e ela nos deixou morar ali por um tempo até que eu fosse capaz de voltar a trabalhar.

Creio que você pode imaginar por esses poucos detalhes como era minha vida. Realmente, tudo era muito ridículo! Não havia nada estável em toda minha existência, e estabilidade era algo que eu precisava e pela qual ansiava desesperadamente.

Finalmente, no verão de 1966, cheguei a ponto de não suportar mais o que estava acontecendo. Eu não podia agüentar o pensamento de continuar com meu marido. Eu não tinha nenhum respeito por ele, especialmente porque, além de tudo, ele estava com problemas com a polícia. Tomei meu filho e aquilo que pude carregar e fui embora. Fui até a cabine telefônica da esquina e liguei para meu pai, perguntando-lhe se eu poderia voltar para casa. Com certeza, ele estava exultante!

Alguns meses após ter voltado para casa, soube que meu divórcio fora concedido. Isso foi em setembro de 1966. Naquela época, a saúde mental de minha mãe estava piorando. Ela começou a ter ataques violentos, acusando os balconistas de lojas de roubá-la, ameaçando pessoas com quem ela trabalhava por detalhes sem sentido. Ela até mesmo carregava uma faca na bolsa. Ela explodia por qualquer coisa. Claramente, lembro-me de uma noite em que ela bateu em mim com uma vassoura porque eu não havia limpado direito o chão do banheiro! Ao mesmo tempo, me mantinha ocupada em me desviar de meu pai. Tanto quanto possível, evitava ficar sozinha com ele.

Em resumo, minha vida era um verdadeiro inferno!

Por "lazer", comecei a ir a bares nos fins de semana. Creio que estava procurando alguém que me amasse. Eu tomava uns poucos drinques, mas raramente o bastante para ficar bêbada. Realmente nunca me interessei muito por bebida. Também me recusava a dormir com os vários homens que encontrava. Embora minha vida fosse uma confusão, havia um profundo desejo em meu coração de ser boa e pura.

Confusa, assustada, solitária, desencorajada e deprimida, sempre orava: "Querido Deus, ajude-me a ser feliz... algum dia. Dê-me alguém que realmente me ame e que me leve à igreja".

Meu Cavaleiro da Armadura Brilhante

Meus pais moravam em um prédio de propriedade deles, onde havia outra família. Um dos seus inquilinos trabalhava com um homem chamado Dave Meyer. Certa tarde, Dave veio buscar seu amigo para jogar boliche. Eu estava lavando o carro de minha mãe. Ele me viu e tentou flertar comigo, mas eu, como sempre, fui sarcástica. Ele me perguntou se eu queria lavar o carro dele quando terminasse o meu, e respondi: "Se você quiser seu carro limpo, lave você mesmo"! Por causa da experiência com meu pai e meu ex-marido, eu não confiava em nenhum homem, isso só para dizer o mínimo.

Dave, contudo, estava sendo guiado pelo Espírito de Deus. Nascido de novo e cheio do Espírito, ele amava a Deus com todo seu coração. Com 26 anos de idade, ele também estava pronto para se casar, e orava há seis meses para que Deus o guiasse à mulher certa. Ele tinha até mesmo pedido ao Senhor que ela fosse alguém que necessitasse de ajuda!

Já que ele estava sendo dirigido pelo Espírito Santo, meu sarcasmo somente serviu para encorajá-lo, em vez de insultá-lo. Mais tarde, ele disse a seu colega de trabalho que ele gostaria de encontrar-se comigo. A princípio, recusei, mas depois mudei de idéia. Após cinco encontros, ele me pediu em casamento. Dave me disse que sabia desde a primeira vez que saímos que ele me queria como sua esposa, mas tinha decidido dar algumas poucas semanas antes de propor o casamento, para não me assustar.

De minha parte, certamente eu não sabia o que era o amor e nem mesmo desejava me envolver com outro homem. Contudo, como a situação estava cada vez pior em casa e já que eu estava vivendo em total pânico todo o tempo, resolvi que qualquer coisa seria melhor do que aquilo por que eu estava passando naquele momento.

Dave perguntou-me se eu poderia ir à igreja com ele, o que eu desejava fazer. Lembre-se: uma das minhas orações tinha sido de que Deus me concedesse alguém para me amar, que ele fosse uma pessoa que me levasse à igreja. Eu desejava fortemente viver uma vida cristã, mas sabia que precisava de alguém mais forte para me guiar pelo caminho. Dave também prometeu ser bom para meu filho, que tinha 10 meses quando nos conhecemos. Eu tinha lhe dado o nome de David, que era o nome do meu irmão e meu nome favorito para um menino. Eu ainda me admiro da forma como Deus trabalhava Seu plano para o meu bem, mesmo em meio ao meu desespero e trevas.

Dave e eu nos casamos em 7 de janeiro de 1967, mas não vivemos "felizes para sempre"! O casamento não resolveu meus problemas e nem o fato de ir à igreja. Meus problemas não estavam em meu lar ou em meu casamento, mas em mim, em minhas emoções feridas e arruinadas.

O abuso deixa uma pessoa emocionalmente deficiente, incapaz de manter relacionamentos saudáveis e duradouros, a não ser que haja algum tipo de intervenção. Eu queria dar e receber amor, mas não conseguia. Como meu pai, eu era controladora, manipuladora, irada, crítica, negativa, dominadora e julgadora. Tudo aquilo que eu presenciara em meu crescimento me tornara. Cheia de autopiedade, eu era verbalmente abusiva, depressiva e amarga. Poderia prosseguir descrevendo minha personalidade, mas estou certa de que você já faz uma idéia da situação.

Eu era uma pessoa ativa na sociedade. Eu trabalhava, Dave trabalhava. Nós íamos à igreja juntos. Nós nos dávamos bem parte do tempo somente porque Dave era uma pessoa extremamente fácil de se relacionar. Ele, geralmente, me deixava fazer as coisas que eu queria, mas, quando isso não acontecia, eu ficava furiosa. Eu achava que sempre estava certa sobre tudo. A meu ver, eu não tinha problemas, todos ao meu redor é que os tinham.

Agora, lembre-se: eu era nascida de novo. Eu amava a Jesus. Eu cria que meus pecados tinham sido perdoados e que eu iria para o céu quando morresse. Mas não conhecia a vitória, a paz, a alegria em minha vida diária. Embora cresse que cristãos deveriam supostamente ser felizes, certamente eu não era! E por nem saber o que era a justiça imputada por intermédio do sangue de Jesus, sentia-me condenada o tempo todo. Eu estava fora de controle. A única ocasião em que não odiava a mim mesma era quando estava ocupada diante de algum alvo pessoal que eu julgava que me daria senso de dignidade.

Eu vivia pensando que, se as *coisas* mudassem, se outras *pessoas* mudassem, tudo estaria bem. Se meu marido, meus filhos, minhas finanças, minha saúde, fossem diferentes, se eu saísse de férias, comprasse um novo carro, um vestido, se mudássemos de casa, se eu encontrasse um outro emprego, se tivesse mais dinheiro, então eu seria feliz e ficaria satisfeita. Eu estava fazendo o que está descrito em Jeremias 2.13: cavando poços que não continham água.

Eu estava cometendo o erro frustrante e trágico de tentar buscar o Reino de Deus, o qual é justiça, paz e alegria (veja Romanos 14.17), nas coisas e nas outras pessoas. O que eu não percebia é que o Reino de Deus está dentro de nós, como o apóstolo Paulo explicou: "O qual é Cristo dentro *e* entre vós, a esperança de (perceber a) glória" (Colossenses 1.27) Jesus disse: "Eis, *o Reino de Deus está dentro de vós* [*em vossos corações*] *e* entre vós [ao vosso redor]" (Lucas 17.21, grifo da autora). Minha alegria seria encontrada em Cristo, mas passaram-se anos e anos para que eu descobrisse isso.

Eu tentava merecer a justiça por meio de obras da carne. Participava de um comitê de evangelismo e do conselho da igreja. Meu marido era um presbítero. Nossos filhos freqüentavam a escola dominical. Eu tentava fazer todas as coisas certas. Tentava, tentava e tentava, mas parecia que não conseguia deixar de cometer erros. Estava cansada, desgastada, frustrada e sentindome miserável!

Eu, Sinceramente, Ignorava qual era o Problema

Nunca me ocorreu que estava sofrendo por causa dos anos de abuso e rejeição que enfrentara. Eu pensava que tudo tinha ficado para trás. Era verdade que aquilo não mais acontecia comigo fisicamente, mas estava tudo registrado em minhas emoções e em minha mente. Eu ainda sentia os efeitos e ainda agia em função disso.

Eu precisava de cura emocional!

Legalmente, eu era uma nova criatura em Cristo. A Palavra diz: "Portanto se alguém que está [enxertado] em Cristo (o Messias) é uma nova criação (completamente uma nova criatura); a velha [antiga condição moral e espiritual] já passou. Eis que o novo e fresco chegou"! (2 Coríntios 5.17). Mas, em minha experiência de vida, eu não havia assumido a realidade da nova criação. Vivia baseada em minha própria mente, na minha vontade e nas minhas emoções, que estavam arruinadas. Jesus pagou o preço por minha libertação total, mas eu não tinha idéia de como receber Seu dom gracioso.

4

Distúrbios de Comportamento Causados pelo Abuso

A PRIMEIRA COISA A SER PERCEBIDA é que o fruto em nossa vida (nosso comportamento) se origina em algum lugar. Uma pessoa que é violenta age assim por alguma razão; um mau comportamento é como um fruto ruim de uma árvore ruim com raízes ruins. *Frutos podres vêm de raízes podres; e frutos bons vêm de raízes boas.*

É importante observar de perto as suas raízes. Se elas são desagradáveis, dolorosas, abusivas, as boas novas são que você pode ser arrancado desse solo ruim e transportado para o solo de Jesus Cristo. Você pode ser enraizado e fundamentado nEle e em Seu amor: "Que Cristo possa, através de vossa fé [realmente], habitar (estabelecer-se, permanecer, fazer Sua morada permanente) em vossos corações! Que possais estar profundamente arraigados e fundamentados seguramente em amor, para terdes o poder e serdes fortes para compreender e apreender com todos os santos [pessoas devotadas a Deus, a experiência desse amor], qual é a largura, o comprimento, a altura, e a profundidade [desse amor]" (Efésios 3.17-18).

A Palavra ensina: "Tendo as raízes [do vosso ser] firme e profundamente plantadas [nele, fixadas e fundadas nele], sendo continuamente edificados nele, tornando-vos, de maneira crescente, cada vez mais confirmados e estabelecidos na fé, assim como fostes ensinados, e abundando e transbordando nela em ações de graças" (Colossenses 2.7).

Jesus enxertou você nEle. Como você, um ramo está enxertado nEle, que é a videira (veja João 15.5), você começará a receber toda a seiva (as riquezas de Seu amor e graça), as quais fluirão dEle. Em outras palavras, se enquanto você cresceu não recebeu o que precisava para torná-lo forte e saudável, Jesus prazerosamente lhe dará isso agora.

Em minha própria vida houve muitos frutos ruins, dos quais tentei me livrar. Trabalhei arduamente tentando agir corretamente. Contudo, parecia que não importava qual tipo de mau comportamento eu tentasse controlar, duas ou três outras atitudes ruins surgiam de algum outro lugar. É como se tentasse me livrar de alguma erva inútil. Eu permanecia podando a parte visível, mas não conseguia me livrar da raiz oculta do problema. A raiz estava viva e se mantinha produzindo uma nova safra de problemas.

Como revela a ilustração a seguir, as raízes podres produzem frutos podres, mas bons frutos vêm de boas raízes:

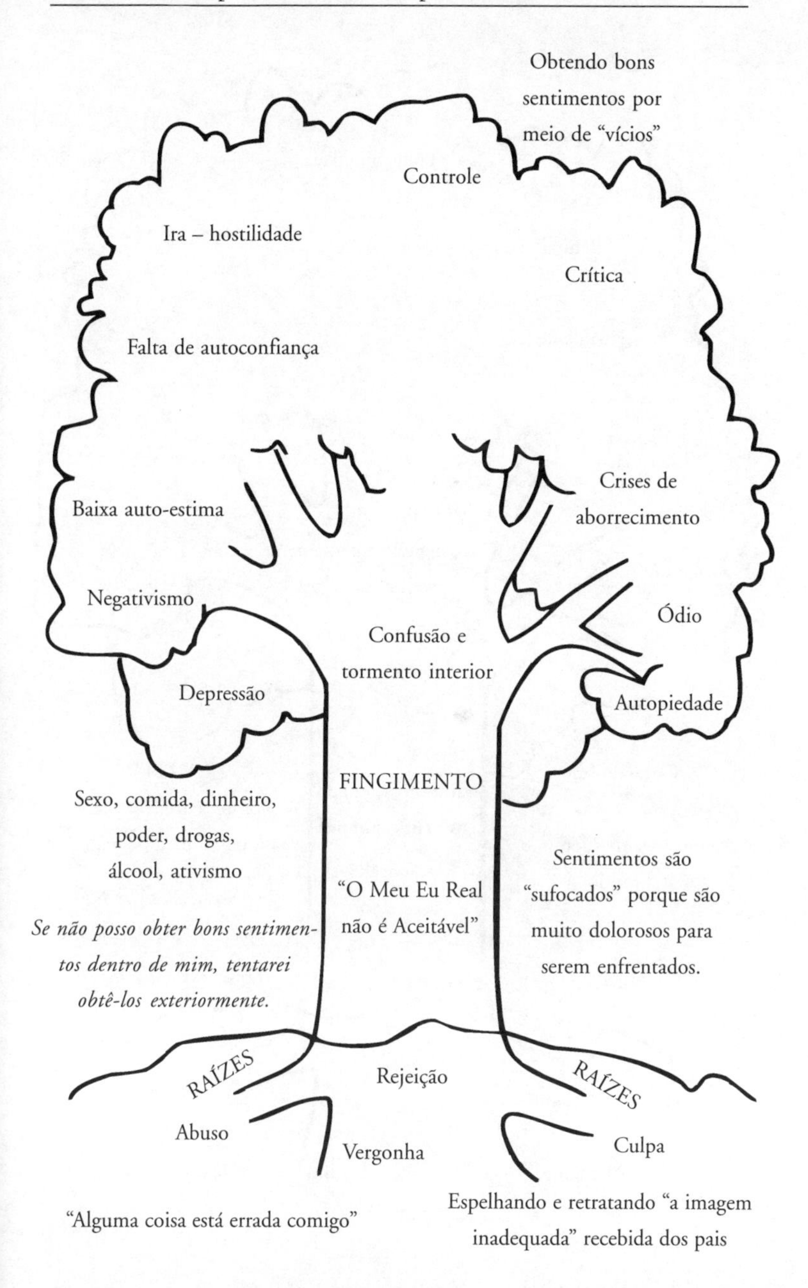
Obtendo bons
sentimentos por
meio de "vícios"
Controle
Ira – hostilidade
Crítica
Falta de autoconfiança
Crises de
aborrecimento
Baixa auto-estima
Negativismo
Ódio
Confusão e
tormento interior
Autopiedade
Depressão
FINGIMENTO
Sexo, comida, dinheiro,
poder, drogas,
álcool, ativismo
Sentimentos são
"sufocados" porque são
muito dolorosos para
serem enfrentados.
"O Meu Eu Real
não é Aceitável"
Se não posso obter bons sentimentos dentro de mim, tentarei obtê-los exteriormente.
RAÍZES
Rejeição
RAÍZES
Abuso
Vergonha
Culpa
"Alguma coisa está errada comigo"
Espelhando e retratando "a imagem
inadequada" recebida dos pais

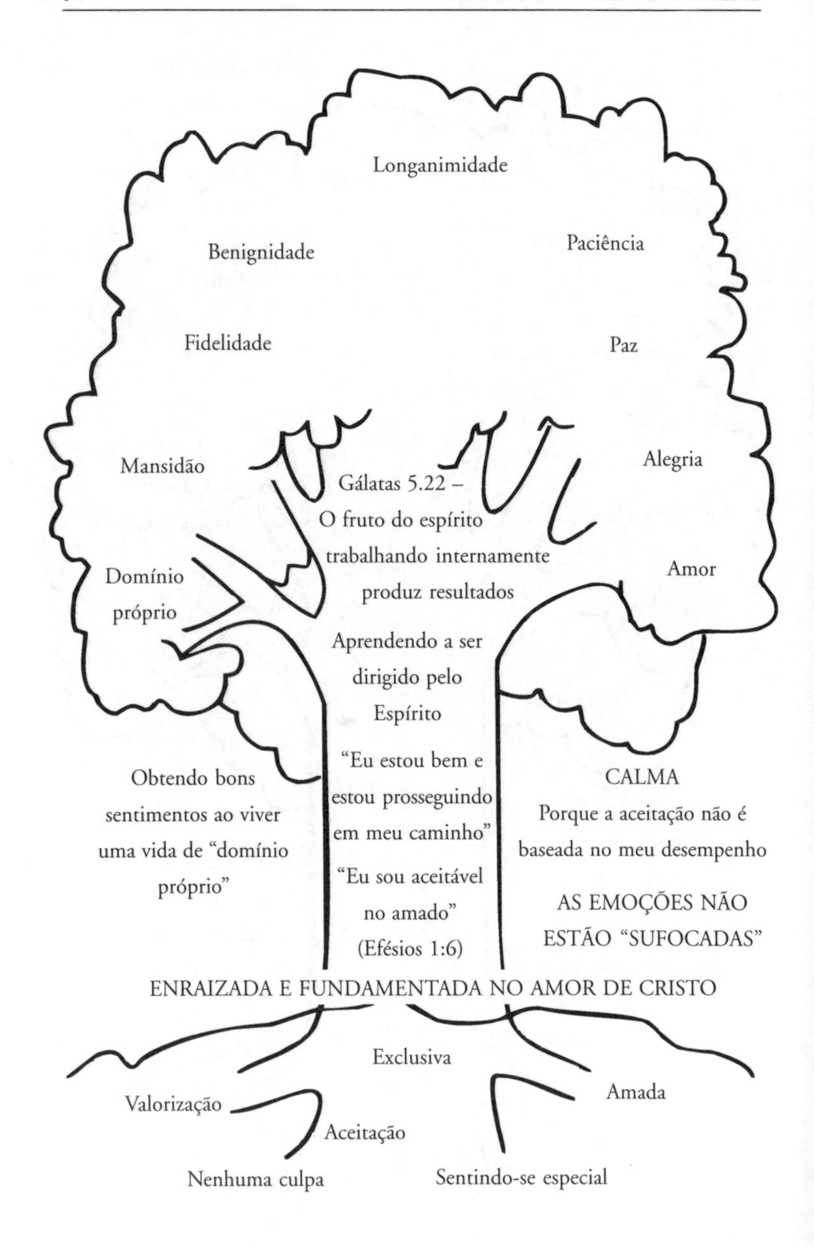
Longanimidade
Benignidade
Paciência
Fidelidade
Paz
Mansidão
Alegria
Gálatas 5.22 –
O fruto do espírito
trabalhando internamente
produz resultados
Domínio
próprio
Amor
Aprendendo a ser
dirigido pelo
Espírito
"Eu estou bem e
estou prosseguindo
em meu caminho"
"Eu sou aceitável
no amado"
(Efésios 1:6)
Obtendo bons
sentimentos ao viver
uma vida de "domínio
próprio"
CALMA
Porque a aceitação não é
baseada no meu desempenho
AS EMOÇÕES NÃO
ESTÃO "SUFOCADAS"
ENRAIZADA E FUNDAMENTADA NO AMOR DE CRISTO
Exclusiva
Valorização
Amada
Aceitação
Nenhuma culpa
Sentindo-se especial

Como ilustração, o Senhor me deu este exemplo: Você já observou algum tipo de odor ao abrir a porta do refrigerador? Você imediatamente percebeu que havia algo estragado ali, mas, com o objetivo de encontrar o que causava o mau cheiro, você teve de remover tudo o que havia no refrigerador.

O mesmo princípio se aplica à sua vida pessoal. Se você tem problemas emocionais, pode haver algo profundamente estragado dentro de você. Talvez você tenha de procurar, de esvaziar-se e, até mesmo, de separar-se por algum tempo com o objetivo de saber qual é a fonte do problema e, assim, removê-la para que tudo se torne fresco e novo.

Lembre-se: arrancar raízes pode ser traumático e doloroso. Ser replantado, tornar-se enraizado e fundamentado é um processo que leva tempo. É pela fé e pela paciência que herdamos as promessas de Deus (veja Hebreus 6.12), por isso seja paciente.

Deus é o Autor e o Consumador da fé (veja Hebreus 12.2). Ele completará o que começou e você: "E eu estou convencido e certo disso mesmo, que aquele que começou uma boa obra em vós a continuará até o dia de Jesus Cristo [até o momento da Sua volta], desenvolvendo [essa boa obra], aperfeiçoando-a e levando-a até à plena consumação em vós" (Filipenses 1.6).

Mau Fruto

Tive tantos maus frutos em minha vida que experimentava crises freqüentes de depressão, de negativismo, de autopiedade, de explosões de ira e de amuamento. Eu tinha um espírito controlador e dominador. Eu era áspera, dura, inflexível, legalista e crítica. Guardava rancor e vivia com medo, especialmente de ser rejeitada.

Eu era uma pessoa por dentro e outra por fora. Eu fingia ser confiante e, de algumas formas, era. Contudo, eu possuía baixa auto-estima. Minha "confiança" não era realmente baseada naquilo que eu era em Cristo, mas na aprovação dos outros, na minha aparência, nas minhas realizações e em outros fatores externos. Muitas pessoas pensam que são confiantes, mas se a aparência exterior delas é atingida, elas realmente se sentem bastante inseguras! Eu era confusa e cheia de tormentos interiores.

Sou extremamente abençoada por poder dizer que nunca me tornei viciada em drogas ou álcool. Eu fumava cigarros, mas não tinha outras dependências químicas. Eu simplesmente não gostava de álcool. Eu tomava uns poucos drinques, mas, logo que me sentia tonta, nunca bebia além do ponto.

Sempre tive bastante autocontrole. Fazia parte da minha personalidade não deixar ninguém me controlar, assim eu evitava as drogas. Penso que o fato de meu pai ter controlado tanto minha vida causou uma determinação em mim de que ninguém mais o faria. Embora não pudesse controlar meus problemas interiores, eu parecia ter sabedoria suficiente para me manter afastada das coisas que poderiam me tornar dependente.

Tomei remédios para emagrecimento durante um período porque sempre estive 10 quilos acima do meu peso. Embora um médico os prescrevesse para mim, eles me excitavam. Eram anfetaminas, mas eu não tinha idéia de que eles fossem perigosos. Eu gostava da forma como eles me faziam sentir-me durante o dia! Quando os tomava, eu podia trabalhar como uma máquina, limpar a casa, ser criativa e amistosa. Estava *sempre para cima, para cima, para cima. Mas, quando o efeito acabava,* sentia-me destruída!

Embora eu não perdesse peso algum, aquelas pílulas controlavam meu apetite até perderem o efeito. Eu não comia durante todo o dia, mas à noite me sentia tão por baixo que compensava tudo o que perdera durante o dia. Lembro-me de ter me questionado se deveria repetir a receita, pois eu *sabia interiormente* que me tornaria viciada se continuasse com as pílulas, por isso parei.

Percebo agora que a habilidade de evitar coisas que poderiam ter me destruído foi resultado de ter recebido Jesus quando eu tinha 9 anos de idade. Embora eu não soubesse como desenvolver um verdadeiro relacionamento com o Senhor por falta de discernimento, Ele sempre me ajudou sem que eu não percebesse. Anos mais tarde, essas bênçãos tornaram-se claras para mim.

Sei que a graça e misericórdia de Deus me livraram de sérios problemas, como crimes, drogas, alcoolismo e prostituição. Sou grata ao Senhor e ainda tenho consciência de como Ele me guardou. Embora eu não tivesse esse tipo de problemas, tive outros. Raízes ruins causaram em mim frutos ruins.

Fingindo

Eu era bastante miserável e infeliz. Contudo, como muitas pessoas, eu fingia que tudo estava bem. Nós, seres humanos, fingimos para impressionar os outros, não querendo que saibam sobre nossa miséria, mas também fingimos para nós mesmos para que não tenhamos de enfrentar e lidar com as questões difíceis.

Penso que nem mesmo percebia quão miserável realmente era até que passei algum tempo com a Palavra de Deus e comecei a experimentar alguma cura emocional. Se uma pessoa nunca conheceu a verdadeira felicidade, como ela pode saber o que está perdendo? Não me lembro de ter sido realmente tranqüila e feliz quando criança. Não acredito que alguém possa desfrutar a vida enquanto convive com um medo constante.

Recordo-me de Dave ter me contado sobre sua infância, certa noite, após nos casarmos. Ele cresceu entre sete irmãos e irmãs. Eles tiveram muito amor em casa e muita alegria na infância. Seus verões formam passados no campo com piqueniques, jogos de bola, amigos e uma mãe cristã que brincava com eles e lhes ensinava sobre Jesus. Eles não tinham muito dinheiro porque o pai de Dave morreu de um problema no fígado causado pelo alcoolismo. Contudo a influência, as orações e o exemplo cristão da mãe de Dave mantiveram a família fora de problemas. *Eles tinham amor, que é tudo do que precisamos e realmente fomos criados para ter.*

Quando ele compartilhou comigo aquela noite sobre todos os bons tempos que ele e sua família tiveram e como ele desfrutou os seus anos de infância, subitamente percebi que eu não gostara de ouvir aquilo. Não conseguia me lembrar de ter sido feliz quando criança. Alguma coisa tinha sido roubada de mim que eu não podia recuperar. Eu me sentia terrivelmente defraudada. Talvez você sinta o mesmo. Se é assim, Deus fará por você o que fez por mim. Ele mesmo será Seu recompensador e o restituirá por tudo o que você perdeu.

Percebi que tinha de parar de fingir e enfrentar a verdade. Eu tinha algumas atitudes distorcidas por causa do meu passado. Esse passado não era falha de Dave nem de meus filhos. Era desagradável culpá-los e fazê-los sofrer por algo do qual eles não eram culpados.

Comportamentos Distorcidos

Os comportamentos distorcidos que podem ser desenvolvidos por causa do abuso são provavelmente muitos, mas aqui vai uma lista parcial:

- ❖ Abuso químico:
  - Álcool
  - Drogas (ilegais e sob prescrição)
- ❖ Obsessão monetária:
  - Gasto excessivo
  - Acúmulo
- ❖ Distúrbios alimentares:
  - Bulimia (glutonaria-vômito)
  - Anorexia (inanição)
  - Obesidade causada pela glutonaria

Observação: Algumas pessoas que foram promíscuas podem permanecer com sobrepeso tentando evitar parecer atraentes, pois temem cair em tentação. Aqueles que foram privados de amor podem comer para compensar-se daquilo de que foram privados.

- ❖ Distúrbios emocionais:
  - Raiva
  - Tristeza
  - Medo
  - Excitação excessiva
  - Justiça religiosa
  - Fixação pela alegria (apresentar um sorriso contínuo e congelado; nunca aparentar ira; rir em momentos inadequados; falar somente de coisas alegres)
- ❖ Distúrbios de pensamento:
  - Detalhista em excesso
  - Preocupação
  - Não parar de falar
  - Pensamentos impuros
  - Mente agitada (nunca descansa; sempre está pensando o que dizer ou o que fazer, como reagir, etc.)
- ❖ Ativismo obsessivo:
  - Trabalho
  - Esportes
  - Leitura
  - Jogos
  - Exercício físico
  - Assistir à TV
  - Possuir e cuidar de excessivo número de animais de estimação
- ❖ Distúrbios da vontade
  - Controladoras: pessoas controladoras sentem que devem agir da sua própria maneira em cada situação. Elas não

podem submeter as emoções à lógica ou à razão. Elas sentem-se seguras somente quando estão no controle.

- Controladas: pessoas controladas tornam-se muito passivas; elas entregam sua vontade às pessoas e fazem o que qualquer pessoa diz. Elas podem tornar-se possuídas e severamente oprimidas por desistir de sua vontade diante de Satanás. Elas possuem tal sentimento de vergonha que se sentem indignas, sem direito a escolhas.

- Revivendo distúrbios: essas pessoas restabelecem seus próprios abusos em seus filhos ou repetidamente colocam-se em situações como adultos que reproduzem o mesmo tipo de coisa que aconteceu com eles quando criança. Uma cena lhes traz lembranças do passado, e eles reproduzem o papel do abusador para não sentir as dolorosas memórias de serem as vítimas. Por exemplo, um homem que apanhou de seu pai na infância pode, fisicamente, abusar de seus próprios filhos. Ele faz isso como resultado de rever lembranças das velhas cenas e assumir o papel do abusador, para não se sentir vítima do abuso. Uma mulher que foi física, sexual ou verbalmente abusada por seu pai pode casar-se com alguém – ou mesmo ter vários casamentos – que abusará dela da mesma forma. Ela pode sentir que não é digna de alguma coisa melhor ou que merece mesmo ser maltratada. Ela pode até sentir isso de tal forma que até mesmo incite alguém a abusar dela.

- Cuidadosas: algumas pessoas encontram dignidade ao cuidar de outros que precisem delas. Elas se sentem tão indignas que se tornam viciadas em ajudar e agradar às pessoas, cuidar delas e ser amáveis, porque isso faz com que se sintam bem consigo mesmas.

Criados para Nos Sentirmos bem Interiormente

Como seres humanos, fomos criados por Deus para sermos felizes e nos sentirmos bem (satisfeitos) com nós mesmos. De fato, devemos nos sentir bem com nós mesmos ou acabaremos desenvolvendo algum tipo de comportamento descontrolado, porque tal comportamento nos traz "bons sentimentos", ainda que por pouco tempo.

Pense sobre isto: uma pessoa viciada em drogas, provavelmente, começou a tomá-las porque sua dor era tão intensa que ela se sentiu compelida a livrar-se disso e a sentir-se bem, ainda que temporariamente. A mesma coisa acontece com a bebida.

Muitas pessoas usam a comida como conforto. Comer é agradável, e elas se sentem bem quando estão envolvidas nisso. Muitas pessoas com distúrbios alimentares estão famintas de amor. Elas querem sentir-se bem consigo mesmas. Se elas não têm bons sentimentos por dentro, tentarão obtê-los de alguma outra forma.

Se você tem atitudes distorcidas, este capítulo pode ajudá-lo a compreender a raiz do seu problema. Você pode passar a vida inteira tentando subjugar seu comportamento exterior (frutos ruins), mas surgirão outros distúrbios se a raiz não for tratada.

5

Resgatados pelo Amor

SE VOCÊ É uma pessoa que tem sofrido algum tipo de abuso, já deve provavelmente ter identificado algumas áreas problemáticas em sua vida. Apontar os problemas sem propor uma solução para eles seria desastroso. Se eu fizesse isso, você terminaria mais frustrado do que quando começou a ler este livro.

Pretendo destacar as importantes verdades que trouxeram a cura à minha própria vida. Enquanto faço isso, gostaria de lembrar-lhe que Deus não faz acepção de pessoas (veja Atos 10.34). O que Ele faz por uma pessoa Ele fará por outra, se isso se baseia numa promessa encontrada em Sua Palavra.

O Processo de Cura

Meu primeiro marido não sabia amar, por isso não recebi amor algum em nosso relacionamento. Embora meu segundo marido, Dave, realmente me amasse, eu não sabia como receber esse amor. Eu balançava entre: 1) rejeitar seu amor e mantê-lo fora da minha vida ao construir muros ao meu redor para me assegurar de que não seria ferida (pelo menos assim eu pensava), ou 2) tentar fazer com que ele me amasse com um tipo de amor perfeito e completo que lhe era humanamente impossível alcançar.

Em 1 João 4.18, lemos que o perfeito amor lança fora o medo. Somente Deus pode amar perfeitamente e sem falhas. Não importa o quanto alguém possa amar uma pessoa, ele ainda é humano. Como o Senhor disse, "... o espírito de fato está pronto, mas a carne é fraca" (Mateus 26.41). Pessoas sempre desapontam outras pessoas, pois elas sempre amam de forma imperfeita, simplesmente porque isso faz parte da natureza humana.

Eu queria que Dave me desse algo que somente Deus poderia me dar, ou seja, um senso do meu próprio valor e dignidade. Eu queria que meu marido me amasse totalmente e me tratasse perfeitamente, pois assim eu poderia finalmente me sentir bem comigo mesma. Sempre que ele falhava comigo, ou me desapontava, ou me magoava, eu construía muros entre nós e não permitia que ele se aproximasse por dias ou, mesmo, semanas.

Muitas pessoas que vêm de um passado abusivo e desajustado não podem manter relacionamentos saudáveis e duradouros porque talvez elas não saibam como receber amor ou elas colocam exigências desequilibradas a seus cônjuges para tentar receber o que somente Deus pode lhes dar. A frustração resultante disso freqüentemente destrói o casamento.

Esse mesmo princípio pode ser aplicado para amizades. Certa vez, uma mulher aproximou-se de mim numa fila de oração e disse: "Joyce, ajude-me. Eu sou muito solitária. Cada vez que tenho uma amiga eu a sufoco". Essa senhora era tão carente de amor que, quando encontrava alguém que lhe desse atenção, tentava cobrar toda a dívida de seu passado emocional daquela pessoa, que não lhe devia nada. Sua nova amiga freqüentemente se assustava e se afastava.

O Amor Ilimitado, Incondicional e Perfeito de Deus

Um dia, enquanto eu estava lendo a Bíblia, percebi essa declaração em 2 Coríntios 5.7: "Visto que andamos por fé e [regulamos nossa vida e conduzimos a nós mesmos pela nossa convicção ou crença a respeito do relacionamento do homem com Deus e com as coisas divinas, com confiança e santo fervor; e assim nós caminhamos] não por vista ou pela aparência".

O Espírito Santo interrompeu-me e perguntou: "O que você pensa, Joyce, de seu relacionamento com Deus? Você crê que Ele a ama"?

Enquanto honestamente comecei a sondar meu coração e a estudar a Palavra de Deus sobre esse assunto, cheguei à conclusão de que eu cria que Deus me amava, mas condicionalmente.

A Bíblia nos ensina que Deus nos ama perfeita ou incondicionalmente. Seu perfeito amor por nós não é baseado em nossa perfeição. Não é baseado em qualquer outra coisa exceto nEle mesmo. Deus é amor (veja 1 João 4.8). O amor não é a Sua ocupação; é o que Ele é. Ele sempre nos ama, mas freqüentemente paramos de receber Seu amor, especialmente se nosso comportamento não for bom.

Aqui eu gostaria de parar por um momento e apresentar várias passagens das Escrituras que vieram significar muito para mim. Por favor, dê algum tempo para lê-las lentamente. Medite e permita que elas se tornem parte de você:

> E nós conhecemos (compreendemos, reconhecemos, estamos conscientes de, pela observação e pela experiência) e cremos (aderimos, colocamos fé em e confiamos) no amor que Deus tem por nós. Deus é amor, e aquele que permanece e continua em amor permanece e continua em Deus, e Deus permanece e continua nele.

Nisto [na união e na comunhão com Ele] o amor é levado à plenitude e atinge a perfeição conosco, para que possamos ter confiança no Dia do Juízo, [com segurança e ousadia para ficarmos face a face diante dele] porque como Ele é, também nós somos neste mundo.

Não existe medo algum no amor [não existe temor]; mas o amor maduro (completo, perfeito) expulsa para fora e expele cada traço de terror! Pois, o medo traz com ele o pensamento de punição; e [assim] aquele que teme não alcançou a plena maturidade do amor [ainda não cresceu para a completa perfeição do amor].

Nós *o* amamos porque Ele nos amou primeiro (1 João 4.16-19).

Nisto o amor de Deus se manifestou (foi demonstrado) no que nos diz respeito: em haver Deus enviado o Seu Filho, o unigênito ou único [Filho] ao mundo, para vivermos por meio dele.

Nisto consiste o amor: não em que tenhamos amado a Deus, mas em que Ele nos amou e enviou o Seu Filho como propiciação (sacrifício expiatório) pelos nossos pecados.

Amados, se Deus nos ama assim [tanto], devemos nós também amar uns aos outros (1 João 4.9-11).

Quem nos separará do amor de Cristo? Será sofrimento, aflição e tribulação? Ou calamidade e angústia? Ou perseguição, ou fome, ou nudez, ou perigo, ou espada? (Romanos 8.35)

Porque eu estou persuadido, sem dúvida alguma (estou convicto) de que nem a morte, nem a vida, nem os anjos, nem os principados, nem as coisas iminentes indesejáveis e ameaçadoras, nem as coisas por vir, nem os poderes, nem a altura, nem a profundidade, nem qualquer outra coisa em toda a criação, será capaz de separar-nos do amor de Deus, que está em Cristo Jesus, nosso Senhor (Romanos 8.38-39).

> Que Cristo possa através de vossa fé [realmente] habitar (estabelecer-se, permanecer, fazer Sua morada permanente) em vossos corações! Que possais estar profundamente arraigados e fundamentados seguramente em amor, para terdes o poder e serdes fortes para compreender e apreender com todos os santos [pessoas devotadas a Deus, a experiência desse amor], qual a largura, o comprimento, a altura, e a profundidade [desse amor].
>
> [Que vós possais realmente vir a] conhecer [de forma prática, experimentando-o por vós mesmos] o amor de Cristo, que excede o mero conhecimento [sem experiência], para que sejais cheios [em todo o vosso ser] até a plenitude de Deus [para que tenhais a mais rica medida da Presença divina, e vos torneis um corpo plenamente cheio e transbordante do próprio Deus] (Efésios 3.17-19).

> Tal esperança nunca nos desaponta, nem nos engana ou envergonha, porque o amor de Deus tem sido derramado em nossos corações pelo Espírito Santo, que nos foi dado (Romanos 5.5).
>
> Eis que Eu te tenho gravado (tatuado teu retrato) nas palmas das minhas mãos, de tal maneira que não pode se apagar (Isaías 49.16).

O trecho de 1 João 4.16 é um versículo-chave para mim, porque diz que *devemos conhecer e ter consciência do amor de Deus e colocar nossa fé nele*. Eu não conhecia, nem tinha consciência do amor de Deus, portanto não tinha fé em Seu amor por mim.

Quando o diabo me condenava, eu não sabia como dizer "Sim, eu cometi um erro" e, então, ir até Deus, pedir-Lhe perdão, receber Seu amor e prosseguir. Em vez disso, eu continuava a gastar horas e mesmo dias sentindo culpa sobre cada pequena coisa que eu fazia de errado. Eu vivia literalmente atormentada! João nos diz que o medo gera tormento, mas que o perfeito amor de Deus lança fora o medo (veja 1 João 4.18). O amor de Deus por mim é perfeito porque é baseado nEle, não em mim. Assim, mesmo quando eu errava, Ele continuava me amando.

O amor de Deus por você é perfeito e incondicional. Quando você falha, Ele permanece amando você, porque Seu amor não é baseado em você, mas nEle. Quando você falha, você pára de receber o amor de Deus e começa a punir-se a si mesmo ao sentir-se culpado e condenado? Eu me sentia culpada e mal a respeito de mim mesma durante os primeiros 40 anos de minha vida. Fielmente, carregava meu fardo da culpa em minhas costas por onde eu ia. Era um fardo pesado e estava sempre comigo. Cometia erros regularmente e me sentia culpada a respeito de cada um deles.

Em Romanos 8.33-35, o apóstolo Paulo diz:

> Quem poderá trazer alguma acusação contra os eleitos de Deus? [Quando] é Deus quem os justifica [isto é, quem nos coloca numa relação justa diante dele? Quem virá e acusará e contestará aqueles a quem Deus escolheu? Será Deus, aquele que nos absolve?].
>
> Quem nos condenará? Será Cristo Jesus (o Messias), quem morreu ou, antes, quem ressuscitou, o qual está à direita de Deus realmente nos defendendo à medida que intercede por nós?
>
> Quem realmente nos separará do amor de Cristo?

O alvo do diabo é nos separar do amor de Deus, porque o amor dEle é o fator principal da nossa cura emocional.

Somos criados para amar. Em Efésios 2.4-6, Paulo diz que Deus é tão rico em misericórdia que Ele nos salvou e nos deu o que não merecemos, para satisfazer as exigências de Seu intenso amor por nós. Pense sobre isso. Deus tenciona nos amar. Ele tem de nos amar: Ele é amor!

Somos criados para amar! O pecado nos separa de Deus, mas Ele nos ama tanto que enviou Seu único Filho, Jesus, para morrer por nós, para nos redimir, para nos comprar de volta, para que

Ele pudesse derramar Seu grande amor sobre nós. Tudo de que precisamos é crer naquilo que a Bíblia diz sobre nosso relacionamento com Deus. Uma vez que fazemos isso, o processo de cura pode começar.

Durante o primeiro ano em que meu marido Dave e eu começamos nosso ministério chamado *Vida na Palavra*, o Espírito Santo trabalhou comigo para me ensinar sobre o amor de Deus. Eu mantinha um livro de memórias das coisas especiais que Deus fazia por mim durante aquele tempo: pequenas coisas em sua maioria, coisas pessoais que mostravam o cuidado de Deus. Por meio desse método, comecei a me tornar mais consciente do Seu amor incondicional. Isso me ajudou a lembrar de que Deus me amava.

Se você pode acreditar que Deus, que é tão perfeito, ama você, então pode acreditar que é digno de amor.

Uma vez que você crê que é aceito e amado por Deus, então pode começar a aceitar-se e a amar a si mesmo. Dessa forma, você não somente começará a amar a Deus, mas também amará as outras pessoas.

Você não Pode Dar o Que não Tem!

Muitas pessoas recebem Jesus e, imediatamente, começam a tentar amar a todos. Muito freqüentemente elas terminam sentindo-se condenadas porque descobrem que não podem fazer isso. É impossível amar verdadeiramente os outros sem primeiro receber o amor de Deus, porque não há amor em nós para darmos.

Em 1 Coríntios 13, freqüentemente chamado de "o capítulo do amor", Paulo enfatiza essa verdade muito claramente. No primeiro versículo, ele define o amor como "aquela devoção racional, intencional e espiritual que é inspirada pelo amor de Deus *por* e *em* nós". Esse capítulo inteiro é focado no ensino de como caminhar em amor, contudo, claramente, é dito que esse amor deve, primeiramente, estar *em* nós.

A maioria das pessoas pode acreditar que Deus as ama quando elas podem sentir que merecem esse amor. O problema surge quando elas sentem que não merecem o amor de Deus e, contudo, precisam desesperadamente dele.

As páginas a seguir ilustram os efeitos de receber ou não o amor de Deus. Note que a crença de que o amor de Deus por nós depende de nossa dignidade é um engano que causa muitos problemas em nossa vida. De outro lado, crer que Deus nos ama incondicionalmente traz muita alegria e encorajamento.

Recebendo o Amor de Deus

Determine em seu coração que você receberá o amor de Deus. Aqui estão algumas sugestões práticas para ajudá-lo a fazer isso. Essas são coisas que creio que o Senhor me levou a fazer e que ajudarão você também. Contudo, lembre-se de que somos pessoas especiais e únicas e que Deus tem um plano individual e personalizado para cada um de nós. *Não se perca em métodos.*

Teoria do "Efeito Cascata" do Amor Incondicional

Jesus me ama, eu sei.
Ele me ama incondicionalmente.
PORTANTO: Seu amor por mim é baseado no que Ele é.
PORTANTO: Não tenho de merecer Seu amor nem posso merecê-lo.
PORTANTO: Não posso ser separada do Seu amor.
Quando Lhe obedeço, Ele me abençoa.
Quando Lhe desobedeço, haverá conseqüências pelo meu comportamento.
Ele pode não gostar do meu comportamento, mas sempre me ama.
PORTANTO: Já que eu tenho experimentado o amor de Deus, sei que sou digna de amor.

PORTANTO, já que eu sei que Deus me ama, sou capaz de crer que existem pessoas que podem me amar também.

PORTANTO, sou capaz de confiar em pessoas que genuinamente me amem.

PORTANTO, sou capaz de aceitar o amor que essas pessoas me dão.

PORTANTO, já que minha necessidade básica por amor e o senso de dignidade própria têm sido satisfeitos por Deus, não preciso ser "viciada" em aprovação de outras pessoas.

PORTANTO, embora eu tenha necessidades que espero que outras pessoas satisfaçam (isto é, companhia, afeição, diversão), creio que essas necessidades são equilibradas e concedidas por Deus. Tento ser honesta em avaliar essas necessidades e buscar aquilo de que preciso.

PORTANTO, espero que outras pessoas sejam honestas comigo. Posso lidar com a crítica e a confrontação, se feitas com amor.

PORTANTO, já que sei que sou especial e única para Deus, sei que o amor que tenho para dar é valioso.

PORTANTO, não sinto que precise ter um "bom desempenho" diante de outras pessoas. Ou elas me amam pelo que sou, ou não. É importante, para mim, que eu seja amada pelo que sou.

PORTANTO, sou capaz de me livrar da idéia de me preocupar com aquilo que os outros estão pensando *SOBRE MIM* e me focar em outras pessoas e *SUAS NECESSIDADES*.

PORTANTO, sou capaz de manter um relacionamento saudável, amoroso e duradouro.

A Teoria do "Efeito Cascata" do Amor Condicional

Jesus me ama, mas...
Ele me ama condicionalmente.
PORTANTO: Seu amor é baseado no meu desempenho.
PORTANTO: Tenho que merecer Seu amor por agradar-Lhe
PORTANTO: Quando Lhe agrado, sinto-me amada.
Quando não Lhe agrado, sinto-me rejeitada.
PORTANTO: Se Deus, que é "Todo amoroso", nem sempre me ama, aceita ou me valoriza, como posso crer que sou preciosa e digna de amor?
PORTANTO: Não creio que eu seja essencialmente uma pessoa digna de amor e preciosa.

PORTANTO, não sou capaz de confiar nas outras pessoas que dizem que me amam. Suspeito de suas motivações e imagino que elas apenas não sabem quem realmente sou.

PORTANTO, já que não posso aceitar o amor de outras pessoas, desvio-me delas. Tento provar que NÃO sou amável, e que elas, finalmente, me rejeitarão. PORTANTO, elas geralmente o fazem.

PORTANTO, uso os padrões do mundo (dinheiro, *status*, roupas, etc.) para provar aos outros e a mim mesma que *TENHO VALOR*. Preciso de carinho e retorno de outras pessoas para provar a mim mesma e aos outros que sou *DIGNA DE AMOR*.

PORTANTO, preciso de uma "dose" de carinho todos os dias apenas para atravessar o dia sentindo-me bem comigo mesma.

PORTANTO, busco que os outros me dêem algo que somente Deus pode me dar, um senso de meu *PRÓPRIO VALOR*.

PORTANTO, estabeleço exigências impossíveis sobre as pessoas que me amam e as deixo frustradas. Nunca me satisfaço com aquilo que elas me dão. Não permito que elas sejam honestas comigo e me confrontem. Sou fixada em mim mesma e espero que eles sejam fixados em mim também.

PORTANTO, já que não amo quem sou, não espero que outros me amem também. Por que alguém gostaria de algo que não tem real valor?

PORTANTO, tento merecer Seu amor por aquilo que FAÇO. Não me abro para o desejo de amar, mas, sim, de SER AMADA. A maior parte das coisas que faço baseia-se no "eu", e, assim, as pessoas que declaro amar não se sentem realmente amadas. Elas se sentem manipuladas. Tento evitar a rejeição em vez de tentar edificar um relacionamento amoroso.

PORTANTO, não sou capaz de manter um relacionamento saudável, amoroso e duradouro.

Eis algumas sugestões para ajudá-lo a receber uma revelação do relação ao amor de Deus por você:

- Diga a si mesmo, em pensamento e em voz alta: "Deus me ama". Diga e, então, deixe isso entrar em seu coração. Repita isso freqüentemente: quando despertar pela manhã, quando se deitar à noite e durante o dia todo. Olhe-se no espelho, aponte para si mesmo, chame-se pelo nome e diga, "______, Deus ama você".
- Mantenha um diário, um livro de memórias, de coisas especiais que Deus faz por você. Inclua tanto as pequenas coisas quanto as grandes. Leia a sua lista pelo menos uma vez por semana, e você será encorajado. Deixe isso se tornar um projeto do Espírito Santo. Penso que você terá alegria nisso, como eu tive.
- Aprenda e, mesmo, se comprometa a memorizar vários trechos das Escrituras sobre o amor de Deus por você.
- Leia alguns bons livros sobre o amor de Deus. Recomendo-lhe começar pelos que escrevi: *Diga a Eles Que Os Amo* e *Reduza-Me ao Amor*.[5]
- Ore para que o Espírito Santo, que é o Mestre, lhe dê uma revelação do amor de Deus.

6

Siga o Espírito Santo

Se você chegou à conclusão de que precisa de cura emocional e de que muitos dos problemas que enfrenta resultam de raízes ruins do passado, talvez você se torne ansioso em livrar-se dessas raízes para que possa se sentir bem. Isso é compreensível, mas é importante permitir que o Espírito Santo o oriente e o direcione nesse processo de cura.

Deus já enviou Jesus Cristo à terra para comprar sua cura completa. Uma vez que isso foi consumado, Ele enviou Seu Santo Espírito para ministrar-lhe o que Jesus comprou com o Sangue dEle.

Jesus disse a seus discípulos que seria melhor para eles que Ele fosse estar com o Pai, porque, se Ele não fosse, o Consolador não poderia vir (veja João 16.7). O Consolador é o Espírito Santo. Na versão da *Bíblia Amplificada*, Jesus chama o Espírito Santo de nosso Conselheiro, Ajudador, Advogado, Intercessor, Fortalecedor e Auxiliador. Durante seu processo de recuperação, você precisará experimentar cada faceta do ministério do Espírito Santo.

Busque Somente Conselheiros Ungidos

Não corra por aí buscando conselhos de qualquer pessoa. Ore primeiro, perguntando ao Senhor se é da vontade dEle que você vá a outro ser humano buscar aconselhamento, ou se Ele deseja ser o Seu próprio conselheiro.

Em minha vida, tive muitos, muitos problemas, contudo nunca busquei outra pessoa para me aconselhar, com exceção de uma vez. Naquela ocasião, visitei uma senhora no ministério que também tinha sofrido abuso. Eu não pretendo desacreditá-la, mas ela realmente não foi capaz de me ajudar. E não era falha dela; ela simplesmente não tinha sido ungida pelo Senhor para fazê-lo.

Deus não é obrigado a ungir aquilo que Ele não planejou. Assim, freqüentemente, as pessoas correm atrás de outras sem seguir a orientação e a liderança do Espírito Santo, e isso nunca traz um fruto duradouro e bom. *Quando você está com problemas, vá ao Trono antes de ir ao telefone.*

Não pretendo sugerir que seja errado buscar conselhos. Estou apenas sugerindo que você ore e permita ao Senhor orientá-lo por intermédio do Espírito Santo. Deixe que Ele escolha o conselheiro certo para você. Simplesmente porque uma pessoa passou pelo que você está passando ou é um amigo íntimo não significa que essa pessoa seja o conselheiro certo para você. Assim, repito: ore!

Definitivamente, não estou dizendo que você não possa buscar conselhos simplesmente porque não busquei. Cada um de nós tem uma personalidade diferente. Posso ter uma personalidade forte, determinada, com autodisciplina e objetividade. Esses traços ajudaram-me a permanecer no meu objetivo, que era a saúde emocional. Outros podem precisar de alguma ajuda por algum tempo, alguém para auxiliá-lo a estabelecer algo para si mesmo e manter-se buscando a alcançar esses alvos.

É vital seguir a direção do Espírito Santo. Ele é o melhor conselheiro. Seja ajudando-o diretamente ou guiando-o a alguém por meio do qual Ele próprio ministrará a você. Em qualquer caso, você deve fundamentalmente olhar para Ele como seu socorro. Mesmo o conselho que qualquer outra pessoa possa lhe oferecer não se tornará *rhema* (uma revelação pessoal de Deus) para você sem a ajuda do Espírito Santo.

É também importante perceber que Deus tem diferentes chamados em nossa vida. Já que Ele me chamou para ensinar Sua Palavra, no meu caso foi melhor receber a verdade que eu precisava diretamente dEle. Contudo, essa não é uma regra para todos.

O Ministério do Espírito Santo

Outra razão pela qual o ministério do Espírito Santo é tão importante é encontrada em João 16.8, onde Jesus diz que é o Espírito Santo quem *convence* e gera *convicção* do pecado e da justiça.

As pessoas que foram abusadas, na sua maioria, são indivíduos com um sentimento de vergonha (o assunto da vergonha será detalhado num capítulo posterior). Eles se sentem mal a respeito de si mesmos. Eles não gostam de si mesmos, portanto, eles experimentam muita culpa e condenação.

É o diabo que traz a condenação; o Espírito Santo traz convicção (Há uma diferença. Eu aceito a convicção, mas resisto à condenação, e assim deve ser com você.) Somente o Espírito Santo, por intermédio da Palavra de Deus e de Seu poder para mudar, pode convencer uma pessoa com esse sentimento de vergonha de que ela se tornou justa por meio do sangue derramado por Jesus Cristo: "Por nossa causa Ele fez Cristo tornar-se pecado, Aquele que não conheceu pecado, para que nele e através dele nós pudéssemos tornar-nos [dotados, visto como sendo, e exemplos da] justiça de Deus [o que nós devemos ser, aprovados e aceitáveis e em correto relacionamento com Ele, pela sua bondade]" (2 Coríntios 5.21).

Jesus referiu-se ao Espírito Santo como o Espírito da verdade e assegurou-nos que Ele nos guiará a toda a verdade, à total e plena verdade (veja João 16.13). Jesus também disse que o Espírito Santo nos faria lembrar: "Mas o Consolador (Conselheiro, Ajudador, Intercessor, Advogado, Fortalecedor, Auxiliador), o Espírito Santo, a quem o Pai enviará em meu nome [em meu lugar, para representar e agir em meu interesse] ensinará a vocês todas as coisas. Ele fará vocês lembrarem (recordará a vocês, trará à sua lembrança) tudo o que Eu tenho dito a vocês" (João 14.26). Todos esses aspectos do ministério do Espírito são áreas importantes para ajudar aqueles que estão em recuperação do abuso. Tais pessoas devem desistir da negação e enfrentar a verdade. Pode haver coisas de que elas se esqueceram porque eram muito dolorosas para lembrar, coisas que terão de ser relembradas e enfrentadas durante o processo de cura.

Se a pessoa responsável em ajudar na recuperação não é dirigida pelo Espírito, ela, algumas vezes, pode conduzir a pessoa abusada nesse processo de forma apressada. Se for assim, pode se tornar mais doloroso do que a pessoa pode suportar.

Lembro-me de uma jovem que, certa vez, me procurou na fila de oração. Ela estava bastante descontrolada e emotiva, quase à beira de um ataque de pânico. Ela começou a relatar que cada semana quando visitava sua conselheira era sempre muito doloroso, quase acima do que ela podia suportar. Em sua ansiedade, eu a ouvi dizer várias vezes: "É muito difícil, dói muito, não posso agüentar".

Enquanto ela falava, eu orava e pedia ao Senhor para ajudar-me a ajudá-la. Eu realmente estava preocupada de que ela pudesse ter um ataque histérico ali mesmo diante do altar. Subitamente, recebi uma resposta do Senhor. Senti que, provavelmente, sua conselheira não era sensível ao Espírito e que ela estava fazendo essa jovem enfrentar certas questões de forma mais rápida do que sua mente e seu sistema emocional podiam suportar.

Quando eu disse à jovem "Ouça, acho que sei qual é o problema", ela aquietou-se o suficiente para que eu pudesse compartilhar o que Deus estava dizendo. Enquanto ouvia, ela imediatamente começou sentir-se aliviada. Ela concordou que aquilo que eu estava descrevendo era exatamente o que estava acontecendo.

Compartilhei com ela que durante meu processo de cura o Espírito Santo levou-me a muitos diferentes recursos para orientação. O primeiro foi um livro que meu marido sugeriu que eu lesse. Era o testemunho de uma mulher que tinha sido abusada quando criança. Até aquele momento, eu não pensava que alguns dos meus problemas resultassem do meu passado.

Foi muito difícil ler aquele livro. Quando cheguei à parte em que a mulher começou a descrever em detalhes como o seu padrasto abusava sexualmente dela, memórias, dores, ira e raiva começaram a crescer em mim de algum lugar profundo do meu coração. Atirei o livro no chão e reclamei em voz alta: "Não vou ler isso"!

Em seguida, pude ouvir o Espírito Santo responder: "Chegou a hora"!

Eu vinha caminhando com Deus por vários anos quando isso ocorreu. Por que Ele não tinha me levado a algo que pudesse ter me ajudado de forma mais rápida? A resposta é: *Porque não era tempo!* O Espírito Santo sabe precisamente o tempo certo em nossa vida. Sempre digo: "Somente o Espírito sabe quando você está pronto para algo". Em outras palavras, o Espírito do Senhor é o único que sabe o que fazer para ajudá-lo, e quando você estará pronto para receber essa ajuda.

A ajuda pode vir na forma de um livro, ou de um pregador, ou de um amigo que diz exatamente o que você precisa ouvir no momento. Ou pode vir por meio de um testemunho pessoal ou, mesmo, de algo que vem diretamente do próprio Deus. Hoje pode ser o tempo designado por Deus para você, enquanto está lendo este livro. Se for assim, Deus usará este livro em alguma área na qual você está ferido no presente. Pode ser o início da sua recuperação, ou o próximo passo do processo, ou mesmo o toque final na sua longa luta pela saúde emocional.

Muitas pessoas que vêm até mim buscar oração por cura emocional estão preocupadas e mesmo perturbadas porque há porções de seu passado que elas não conseguem relembrar. Elas têm estado naquilo que chamo de "expedições de escavação", tentando desenterrar memórias esquecidas para que possam enfrentá-las, lidar com elas e removê-las de seu pensamento. Digo a essas pessoas que há ainda porções do meu próprio passado que não posso relembrar. Realmente, muito da minha infância parece ser cheia de páginas em branco.

Digo a essas pessoas que é o Espírito Santo que nos leva à verdade e é capaz de trazer muitas coisas à nossa lembrança. Mas devemos permitir que Ele assuma a direção nessa área sensível. Deixei o Espírito Santo ser responsável pela minha memória. Verdadeiramente, creio que se a lembrança de alguma coisa do meu passado pode me ajudar, então eu a lembrarei. Se isso não me ajudar, então é algo desnecessário ou, mesmo, prejudicial para ser lembrado, e sou grata por não lembrar. Penso que em certas situações, aquilo que não sabemos não pode nos ferir.

Obviamente, esse não é sempre o caso. E, muitas vezes, as pessoas experimentam grande alívio ao relembrar alguns eventos traumáticos, lidam com isso e, então, avançam. Algumas vezes, se as memórias têm sido excluídas de propósito e suprimidas profundamente no recesso da mente, elas envenenarão todo o nosso ser. Nesse caso, as memórias devem ser expostas antes que a saúde integral possa ser estabelecida. Contudo, repito, é importante lembrar que, se esse processo não for feito com a direção e a orientação do Espírito Santo, pode ser prejudicial e realmente causar maior dano em suas emoções já tão feridas.

O Espírito Santo é gentil, meigo, atencioso, amável, amoroso e paciente. Contudo, Ele é também forte, poderoso e capaz de fazer o que as pessoas nunca fariam com sua própria força. O salmista diz: "Se o Senhor não edificar a casa, em vão trabalham os que a edificam; se o Senhor não guardar a cidade, em vão vigia a sentinela." (Salmos 127.1). Perdi muitos anos da minha vida trabalhando em vão. Encorajo-o a não desperdiçar os preciosos anos da sua vida tentando "fazer tudo sozinho". Busque a Deus e ao Seu plano para sua recuperação. Ele o orientará a cada passo, e você será transformado "de glória em glória" (veja 2 Coríntios 3.18).

7

Os Dois Tipos de Dor

MESMO QUANDO permitimos que Espírito Santo nos dirija, a cura emocional ainda é dolorosa. Mas creio que há dois tipos de dor: a dor da mudança e a dor por nunca mudar e permanecer o mesmo. Se você deixar o Espírito do Senhor dirigir seu programa de recuperação, Ele sempre estará ali para prover a força de que você precisa em cada fase, e, assim, sejam quais forem as tribulações que você tiver de enfrentar, será capaz de suportá-las.

O Senhor prometeu nunca nos deixar ou nos abandonar. Essa promessa em Hebreus 13.5 é muito poderosa: "Deixe seu caráter ou disposição moral ser livre do amor ao dinheiro [incluindo a ganância, avareza, luxúria e um desejo ardente por possessões terrenas] e seja satisfeito com seu presente [circunstâncias e com o que você tem]; pois Ele, o próprio [Deus] disse: 'Eu, de forma alguma falharei com você, *nem* o abandonarei, *nem* o deixarei sem apoio. (Eu) nunca, nunca, de forma alguma, o deixarei sem ajuda ou nem o abandonarei nem o desampararei (nem largarei você)! [Seguramente não]'".

Precisamos nos agarrar a essa promessa quando formos tentados a querer ultrapassar a Deus. Se começamos a "fazer as coisas do nosso próprio jeito", estaremos num território perigoso. Nosso Pai Celestial não tem obrigação de nos ajudar a suportar provações que nunca fizeram parte de Seu plano para nós. Poderemos sobreviver, mas o processo envolverá muito mais luta do que seria necessário.

A dor das feridas e do processo de cura das emoções pode mesmo ser mais traumática do que a dor física. Quando você estiver seguindo o plano revelado por Deus e atravessar momentos dolorosos, lembre-se de que o Espírito Santo é o Fortalecedor. Algumas vezes, pode parecer que você não vai conseguir. Em tais momentos, peça ao Senhor que o fortaleça.

Um grande trecho das Escrituras para memorizar nessas horas difíceis está em 1 Coríntios 10.13, no qual o apóstolo Paulo nos lembra:

> Porque nenhuma tentação (nenhuma tribulação como a sedução ao pecado, não importa como venha ou para onde aponte) vos tem subjugado ou prendido que não seja comum ao homem [isto é, nenhuma tentação ou tribulação virá a vós, além da resistência humana, e que não seja ajustada e adaptada e pertencente à experiência humana, de tal forma que o homem não possa suportar]. Mas Deus é fiel [à Sua Palavra e à sua natureza compassiva], e Ele [em quem podemos confiar] não vos deixará serdes tentados ou atribulados ou testados além da vossa habilidade e força para resistir, e poder para perseverar; mas com a tentação, Ele [sempre] proverá o escape (o meio de escapar para um lugar de pouso), para que sejais capazes e fortes e poderosos para suportá-la pacientemente.

Em tais tempos difíceis vêm muitas tentações. Entre elas a tentação de desistir e voltar aos velhos pensamentos e caminhos ou tornar-se negativo, depressivo e irado com Deus, pois você não compreende por que Ele não parece estar provendo o escape de toda a dor que tem suportado em sua vida. Contudo, essa passagem das Escrituras nos diz que Deus sempre intervém em nosso favor e que sua ajuda sempre chegará a tempo. Proponha em seu coração permanecer e não desistir!

Outra passagem bastante proveitosa é encontrada em 2 Coríntios 12.7-9, na qual Paulo se refere à sua própria dor por causa daquilo que ele chama de "um espinho (um estilhaço) na carne" (versículo 7). Realmente não importava qual era esse espinho, mas sabemos que isso o incomodava e ele queria removê-lo. Por três vezes Paulo pediu ao Senhor que o removesse. Contudo, a resposta do Senhor para ele foi: "Minha graça (meu favor, benignidade e misericórdia) é o bastante para você (suficiente contra qualquer perigo, e o capacita a enfrentar o problema corajosamente); pois minha força e poder são aperfeiçoados (consumados e completados) e *mostram-se mais efetivos* em [sua] fraqueza" (versículo 9).

Nem sempre somos libertos dos nossos sofrimentos no preciso momento que invocamos o nome do Senhor. Algumas vezes, devemos perseverar por um tempo, ser pacientes, continuar em fé. Graças a Deus, durante esses momentos nos quais o Senhor decide por qualquer razão não nos libertar imediatamente, Ele sempre nos dá a graça e a força de que precisamos para prosseguir em busca da vitória final.

Você já se perguntou por que Deus nem sempre nos liberta de nossa escravidão e problemas imediatamente? A razão é que somente Deus sabe tudo o que precisa ser feito na vida de seus filhos e o tempo perfeito para isso acontecer.

Por minha própria experiência, tenho aprendido a confiar em vez de questionar. Não é errado perguntar a Deus o motivo, a menos que esse questionamento produza confusão, e nesse caso é muito melhor simplesmente confiar no Senhor, sabendo que Ele nunca erra e nunca se atrasa! Freqüentemente, compreendemos o porquê por trás de cada evento ou situação somente depois de tudo ter terminado e podermos chegar do outro lado olhando para trás. Há muitas experiências em minha vida que, certamente, não compreendi enquanto não as superei. Agora, contudo, consigo compreender alguma coisa do seu significado e propósito.

Atravessar tribulações é doloroso. Em meu ministério, freqüentemente compartilho com as pessoas que o livro de Apocalipse diz que vencemos o diabo pelo sangue do Cordeiro e pela palavra do nosso testemunho (veja Apocalipse 12.11). Um testemunho de vitória em qualquer área da vida é importante. Contudo, para ter um testemunho positivo, é necessário ter vencido de forma bem-sucedida qualquer sofrimento ou oposição.

A parte dolorosa é que devemos prosseguir mesmo enquanto estamos sendo tentados ou provados; a parte gloriosa vem após terminarmos de atravessar a tribulação e podermos, então, testificar a grande vitória e a grande fidelidade de Deus. *Não temos testemunho algum sem atravessar uma provação.*

Portas do Sofrimento

Porque pessoalmente experimentei muita dor emocional, assim como você também pode ter experimentado, cansei-me de sofrer. Eu tentava encontrar a cura ao seguir a liderança do Espírito Santo. Contudo, não conseguia honestamente compreender por que o processo tinha de ser tão doloroso. Eu sentia que para poder continuar enfrentando aquela dor precisaria ter algumas respostas do Senhor. Eu realmente progredia, obtinha melhora, alcançava uma vitória aqui e ali, mas parecia que cada vez que fazia algum progresso o Senhor me levava a uma nova fase de recuperação que sempre significava mais dor e tormento emocional.

Enquanto eu orava a respeito da minha situação, Deus me deu uma visão. Em meu coração, pude ver uma série de portas, uma após outra. Cada uma representava um evento traumático em meu passado que causara DOR quando ocorreu. O Senhor mostrou-me que cada vez que eu enfrentava um dos eventos ou situações dolorosas (ser sexualmente abusada em meu lar; ser ridicularizada na escola por ser obesa; ser incapaz de ter amigos íntimos; ser sujeita ao medo constante; ser abandonada por meu primeiro marido; ser

Portas do sofrimento

traída por um grupo de amigos da igreja; e assim por diante) essa era uma nova porta de DOR, através da qual eu era forçada a passar.

Eu podia recordar vividamente a angústia do medo, rejeição, abandono, e traição, assim como você, caso tenha sido vítima de algum desses abusos que colocam as pessoas em tais prisões.

Quando, finalmente, permiti que o Senhor trabalhasse em minha vida, Ele me revelou que eu estava escondida atrás de cada uma daquelas "portas da dor". Estava em profunda prisão, buscando refúgio em uma personalidade falsa, em simulação e fachadas. Era simplesmente incapaz de compreender como me livrar. Quando o Senhor começou a me libertar da escravidão, aquilo doeu.

Agora compreendo que para sermos levados da escravidão para a liberdade devemos atravessar essas mesmas portas da dor, ou portas semelhantes, pelas quais anteriormente passamos, para que possamos sair do outro lado. Quando somos levados para a escravidão pelas portas da dor, devemos passar pelas mesmas portas para sair do cativeiro. Ambos os momentos são dolorosos: primeiro; por causa do abuso real; depois. por causa da lembrança disso.

Com o objetivo de nos libertar e curar, o Senhor deve nos levar a enfrentar tais questões, tais pessoas e tais verdades que achamos difíceis, senão impossíveis, de enfrentar sozinhos. Deixe-me dar alguns exemplos a você:

Primeiro Exemplo

Sempre tive pavor de meu pai. Mesmo como uma mulher adulta em meus 40 anos, com quatro filhos, eu ainda o temia. Muitos eventos dolorosos tinham trazido esse medo à minha vida.

Eu estava com 47 anos quando o Senhor me levou a, finalmente, confrontar meu pai. Compartilharei mais sobre esse confronto mais tarde neste livro, mas tive de olhar para meu pai diretamente nos olhos e dizer-lhe: "Não terei mais medo de você".

Quando, finalmente, falei com meu pai sobre a forma abusiva com que ele me tratou, o fiz em obediência e pela fé, mas não sem "temor e tremor" (veja Filipenses 2.12). Tive de estar cara a cara com uma das minhas portas da dor. Eu sabia que poderia escolher: ou atravessar e chegar à liberdade do outro lado, ou continuar na dor atrás da porta, escondida e permanecendo sempre com medo de meu próprio pai.

É importante notar que confrontei meu pai, que foi a causa primária da minha dor, somente porque o Espírito Santo me levou a fazê-lo. Não confronte seu abusador apenas porque eu o fiz. Você deve orar e ouvir a direção de Deus com relação aos passos corretos para sua libertação.

Segundo Exemplo

Algumas vezes, as pessoas são feridas na igreja por outros cristãos. De alguma forma, parecemos pensar que os crentes nunca ferem outros crentes, e eles não deveriam mesmo fazê-lo. Mas as coisas raramente são como deveriam ser, mesmo na vida do povo de Deus. Nós, na igreja, ferimos um ao outro, e isso causa da dor.

Freqüentemente, quando isso acontece, a parte ferida afasta-se de qualquer associação ou envolvimento com aqueles que causaram o sofrimento. Escondida atrás da porta da dor, a pessoa ferida pode decidir: "Já que fui ferido na igreja, continuarei indo às reuniões (talvez), mas nunca mais me envolverei com essas pessoas novamente". Essa é uma forma de escravidão, porque a pessoa está permitindo que seu passado a controle.

Deus nos levará a um lugar no qual nós devemos sair do esconderijo e correr o risco de sofrer novamente. Quando saímos, isso é equivalente a passar novamente através da mesma porta de dor que nos levou à escravidão.

Terceiro Exemplo

Aprender a submeter-se à autoridade pode ser difícil para algumas pessoas. Foi certamente doloroso para mim. Já que eu tinha sido abusada por autoridades que conhecera, minha atitude era: "Por que eu deveria permitir que alguém me dissesse o que fazer"? Eu não confiava em ninguém, especialmente nos homens.

Quando o Espírito Santo me levou à fase da minha recuperação em que tive de me submeter ao meu marido, a batalha começou! Experimentei um terrível sentimento de rebelião em minha carne. Eu queria ser submissa, porque verdadeiramente cria que isso era bíblico, mas a dor da submissão era mais do que eu podia suportar.

Eu não compreendia o que estava errado comigo. Percebo agora que submeter-me a alguém mais e permitir que essa pessoa tomasse decisões por mim levava-me de volta aos velhos medos e lembranças de quando era manipulada e alguém tirava proveito de mim. Tendo meu pai (na figura de autoridade) dizendo-me que as perniciosas decisões que ele tomava por mim eram para meu bem e todo o tempo odiando tanto o que ele estava fazendo comigo, além da minha frustração de ser incapaz de tomar alguma atitude, enfim, tudo isso não me deixava muito empolgada com a idéia de submissão.

Para ser livre e tornar-me a pessoa saudável que Deus desejava que fosse, eu tinha de aprender a submeter-me ao meu marido. Como muitos dos cristãos, eu cria que o ensino bíblico sobre a submissão da esposa e filhos ao marido e pai como cabeça da casa é o plano revelado de Deus para as famílias. Eu estava convencida de que esse princípio está estabelecido em Sua Palavra e, portanto, não tinha escolha a não ser submeter-me ou permanecer em rebelião contra o Senhor. Mas, certamente, era doloroso! Agora estou livre e posso sentir a satisfação e a segurança na submissão piedosa.

Muitas pessoas sentem-se confusas sobre a submissão. Elas pensam que isso significa fazer tudo o que uma autoridade lhes diz para fazer, não importa o que seja. A Bíblia ensina que devemos ser submissos somente "como convém no Senhor" (Colossenses 3.18).

Creio que esses exemplos ajudarão você a compreender as "portas da dor" e como elas devem ser enfrentadas. Não olhe para elas como entradas para o sofrimento, mas como o começo da recuperação. Jesus sempre estará com você para guiá-lo e fortalecê-lo enquanto você atravessa essas portas rumo à saúde plena.

Lembre-se: *a dor é, realmente, uma parte do processo de cura.* Se uma pessoa cai no concreto e a pele dos seus joelhos se esfola, ela se machuca. No dia seguinte, a dor pode mesmo estar pior do que quando a ferida acabara de acontecer. Em certo momento, começará a se formar uma casca sobre a ferida, que é um sinal de que o corpo está envolvido no processo de cura. Mas, embora agora coberta com a casca protetora, sua ferida continua repuxando, queimando e ardendo, porque há maior volume de corrente sangüínea circulando ali para trazer cura à área afetada.

A ferida inicial traz dor, mas freqüentemente o processo de cura traz uma dor pior. Contudo, não é o mesmo tipo de DOR E nem traz o mesmo resultado. As feridas emocionais de algumas pessoas têm sido ignoradas por tanto tempo que se tornam infectadas. Esse tipo de DOR é totalmente diferente da dor da cura. Esse deve ser evitado; o outro é bem-vindo.

Sem Sofrimento, sem Livramento!

Aprendi algo bastante sábio por meio da minha experiência pessoal: não tenha medo da DOR! Por mais estranho que isso possa parecer, quanto mais você teme e resiste à dor da cura, mais isso aumenta o efeito que o sofrimento tem sobre você.

Um exemplo dessa verdade aconteceu anos atrás quando fiz um jejum pela primeira vez em minha vida. Deus me chamou para 28 dias de jejum à base de sucos. No início, passei por momentos realmente difíceis. Eu estava muito, muito faminta. De fato, eu me sentia tão faminta que estava realmente sentindo dores. Enquanto eu clamava ao Senhor, lamentando que não estava agüentando mais, Ele me respondeu. Profundamente dentro de mim, ouvi uma "voz mansa e suave" (veja 1 Reis 19.12) do Senhor me dizendo: "Pare de lutar contra a dor, deixei-a trabalhar em você". Daquele dia em diante, o jejum foi muito mais fácil, mesmo aprazível, porque eu sabia que cada vez que me sentia desconfortável era sinal de progresso.

A regra é que quanto mais resistimos à dor, mais forte ela se torna. Quando uma mulher grávida está em trabalho de parto, o aviso que ela recebe das enfermeiras é: "Relaxe". Ela sabe que, quanto mais ela lutar contra a dor, mais forte a dor se tornará e mais o processo de parto demorará.

Quando você está atravessando um tempo difícil, quando a dor se torna tão grande que parece maior do que você pode suportar, lembre-se de Hebreus 12.2: "Tirando os olhos [de tudo o que nos distrai] e focando em Jesus, que é o Líder e a Fonte da nossa fé [dando o primeiro incentivo para a nossa fé] e também o Seu Consumador [levando-a à maturidade e à perfeição]. Ele, pela alegria [de obter o prêmio] que estava diante de si, suportou a cruz, desprezando e ignorando a vergonha, e está agora assentado à direita do trono de Deus".

Perseverança Produz Alegria

Quando você experimenta alguma dor, não lute contra ela. Permita que ela complete seu propósito. Lembre-se desta promessa: "Aqueles que semeiam com lágrimas, colherão com alegria e cânticos" (Salmos 126.5). *Aprenda a perseverar naquilo de que você precisa, sabendo que há alegria do outro lado!*

A cura pode ser dolorosa, mas você não tem nada a perder. Você estará sofrendo de qualquer maneira; então pode, pelo menos, colher o pleno benefício dessa dor. Tanto quanto você permitir ao abuso do passado mantê-lo em escravidão, permanecerá em sofrimento. Ao menos, a dor da cura produz um resultado positivo: a alegria, em vez da miséria.

Deixe sua dor levá-lo para fora da escravidão, e não aprofundá-lo nela. Faça a coisa certa, mesmo que seja difícil. Obedeça a Deus e siga a direção do Espírito Santo sabendo que "o choro pode durar por uma noite, mas a alegria vem pela manhã" (Salmos 30.5).

8

A Única Saída É Prosseguir

Em um dos nossos encontros, uma mulher veio à frente nos pedindo que orássemos para certa prisão ser quebrada em sua vida. Logo que comecei a orar, ela desabou a chorar. Quase imediatamente, tive uma visão na qual ela estava numa pista, como se estivesse participando de uma corrida. Enquanto observava, pude ver que cada vez que a corrida ia começar ela se movimentava em direção à linha de chegada, ia até o meio do caminho, dava meia-volta e voltava à linha de partida.

Após algum tempo, ela repetia o processo. Isso aconteceu várias vezes. Compartilhei com ela o que estava vendo e lhe disse que cria que Deus estava lhe dizendo: "Desta vez, você precisa seguir o caminho até o fim". Quando compartilhei essa mensagem com ela, imediatamente ela concordou que Deus estava falando consigo. Seu problema era que, embora freqüentemente ela fizesse alguns progressos em direção à cura emocional, sempre desistia ao sofrer alguma pressão. Agora ela estava determinada a progredir até a completa vitória.

É sempre muito mais difícil terminar do que começar. Não existem realmente métodos "instantâneos" para a cura emocional. Em 2 Coríntios 3.18, o apóstolo Paulo fala dos cristãos sendo transformados "de um degrau de glória a outro degrau". Se você está atravessando o difícil processo da cura emocional, encorajo-o a desfrutar o degrau de glória em que você se encontra enquanto se move para o próximo nível.

Muitas pessoas transformam a cura emocional ou a recuperação do abuso em tal provação que nunca permitem a si mesmas desfrutar algum aspecto daquilo. Não permita a si mesmo ser tentado a focar quanto você ainda tem de andar. Em vez disso, contemple o lugar onde você já conseguiu chegar!

Lembre-se de que *você tem uma vida para viver enquanto você está sendo curado!* Adote isso como sua atitude: não estou onde preciso estar, mas, graças a Deus, não estou onde costumava estar. Estou melhorando e estou caminhando!

Prossiga

Em alguns aspectos, o crescimento espiritual pode ser comparado com o crescimento físico. Há certos estágios pelos quais temos de passar com o objetivo de amadurecer. Penso que, seguramente, muitas pessoas não desfrutam a infância de seus filhos quando eles estão crescendo. Em cada estágio do crescimento, os pais desejam que os filhos estejam em outro estágio. Se o filho está engatinhando, eles desejam que ele esteja andando, ou deixando as fraldas, ou indo à escola, formando-se, casando-se, dando-lhes netos, e assim por diante.

Temos de aprender a desfrutar cada estágio da vida enquanto ele ocorre, porque cada fase tem alegrias e desafios específicos. Como cristãos, estamos crescendo durante toda nossa vida. Nunca podemos parar de progredir. Tome uma decisão agora de começar a desfrutar a si mesmo enquanto se esforça para alcançar cada novo nível de vitória.

Em Deuteronômio 7.22, Moisés diz aos filhos de Israel que o Senhor expulsaria os inimigos de diante deles "pouco a pouco". Entre cada vitória em nossa vida há um tempo de espera. Durante esse tempo, o Espírito Santo lida conosco, trazendo novas revelações, ajudando-nos a enfrentar e a receber verdades maiores. A espera geralmente é difícil para a maioria de nós porque a impaciência está sempre presente entre nós, gerando insatisfação. Queremos tudo agora!

A Paciência Colhe as Promessas

Muitas pessoas querem as bênçãos, mas elas não querem preparar-se para elas. João Batista saiu pelo deserto clamando: "Preparai o caminho do Senhor" (Mateus 3.3). Ele queria que as pessoas soubessem que Jesus estava vindo fazer uma obra na vida deles, mas eles precisavam estar preparados.

A Bíblia diz: "Nem olhos viram, nem ouvidos ouviram e nem entrou no coração do homem, [tudo o que] Deus tem preparado (feito e aprontado) para aqueles que o amam [que o consideram com reverência afetuosa, que prontamente o obedecem e que, de forma grata, reconhecem os benefícios que Ele tem concedido]" (1 Coríntios 2.9).

Há necessidade de maturidade espiritual para caminhar nas dificuldades crendo que Deus tem algo bom planejado para nós. Mas precisamos compreender que prosseguir é geralmente a única saída que temos. Precisamos de fé, de paciência e de perseverança com o objetivo de receber o resultado final de tudo que Deus nos prometeu. A passagem de Hebreus explica:

> Portanto, não abandoneis a vossa confiança sem temor, pois ela carrega uma grande e gloriosa recompensa.
>
> Pois tendes necessidade de permanecer em paciência e perseverança, para que possais realizar e completar a

> vontade de Deus, e assim receberdes e vos apropriardes [e desfrutardes da plenitude] do que é prometido.
>
> Pois ainda por um pouco (muito pouco), Aquele que há de vir, virá, e ele não tardará (Hebreus 10.35-37).

Em Hebreus 6.11, lemos: Mas nós [forte e determinadamente] desejamos que cada um de vós mostre a mesma diligência e sinceridade [por todo o caminho] em perceber e desfrutar da plena segurança e desenvolvimento da [vossa] esperança até o fim.

Em Isaías 43.1-2 ARA, o Senhor adverte Seu povo dizendo:

> Não temas, pois Eu te remi [te resgatei pagando um preço, em vez de deixar-te cativo]; chamei-te pelo teu nome; tu és meu.
>
> Quando passares *pelas* das águas, Eu estarei contigo; *pelos* rios, eles não te submergirão; quando passardes *pelo* fogo, não te queimarás [nem te chamuscarás], nem a chama arderá em ti. (Grifo da autora, trechos entre colchetes da Versão Amplificada).

Davi disse do Senhor: Embora eu caminhe pelo [profundo e escuro] vale da sombra da morte, eu não temerei nem me amedrontarei com nenhum mal, pois o Senhor está comigo; a tua vara [para proteger-me] e teu cajado [para dirigir-me] me confortam" (Salmos 23.4).

Freqüentemente, uma pessoa que teve raízes no abuso termina com fortalezas em sua mente e em sua carne, por isso deve atravessar o vale da sombra da morte para que essas fortalezas sejam derrubadas e destruídas.

Paulo explica que guerreamos contra o inimigo ao capturarmos os nossos pensamentos que não se alinham com aquilo que Cristo disse, e ao trazê-los em sujeição ao que a Palavra diz para fazer e crer:

> Pois embora caminhemos (vivamos) na carne, não temos que lutar de acordo com a carne e usar meras armas humanas.

> Pois as armas da nossa luta não são físicas [armas de carne e sangue], mas elas são poderosas diante de Deus para a queda e para a destruição de fortalezas, para refutar argumentações e teorias e raciocínios e tudo que se levante orgulhosa e soberbamente contra o [verdadeiro] conhecimento de Deus; e para levar cada pensamento e propósito cativo à obediência de Cristo (o Messias, o Ungido). (2 Coríntios 10.3-5.)

Por exemplo, como resultado de ter sido abusada por tanto tempo, desenvolvi uma personalidade independente; eu não confiava em mais ninguém. Cedo na vida, cheguei à conclusão de que, se tomasse conta de mim mesma e nunca pedisse nada a alguém, então, sofreria menos. Quando o Senhor começou a revelar que minha atitude independente não era bíblica, tive de "caminhar pelo vale da sombra da morte". Em outras palavras, tive de deixar que a velha natureza (parte da velha Joyce) fosse para a cruz e morresse.

A tentação é fugir de nossos problemas, mas o Senhor diz que devemos enfrentá-los. As boas novas é que Ele tem prometido que nunca teremos de enfrentá-los sozinhos. Ele sempre estará ali para nos ajudar a cada passo do caminho. Ele tem dito: "Não temas, pois estou contigo".

É enfrentando as coisas com o Senhor que nossa fé é edificada nele. Gosto muito da história de Sadraque, Mesaque e Abde-Nego, encontrada em Daniel, capítulo 3. O rei os tinha alertado para se prostrarem e adorá-lo ou ele os atiraria numa fornalha de fogo.

Eles disseram: "Bem, se Deus quiser nos libertar, Ele o fará, mas, mesmo que Ele não nos liberte, nós não nos prostraremos nem adoraremos a você, ó rei". Eles sabiam que Deus era capaz de libertá-los, mas, se esse não fosse o plano dEle, ainda manteriam sua integridade diante do Senhor e não desistiriam de servi-lo. Precisamos nos comprometer a servir a Deus com tal determinação.

Assim, os três homens foram atirados na fornalha, e o rei tornou o calor sete vezes mais forte do que estava antes. Isso me lembra as vezes quando tomamos a decisão certa, mas parece que nossos problemas pioram.

Gosto dessa história porque ela diz que Sadraque, Mesaque e Abde-Nego foram amarrados e atirados na fornalha, mas, quando o rei observou o fogo, eles estavam soltos. Algumas vezes, entramos nos problemas totalmente presos, mas é em meio aos problemas, enfrentando-os, que somos soltos e libertos. O rei viu um quarto homem no fogo com eles. Lembre-se de que Jesus disse: "Não temas, pois eu estou com você".

Quando Sadraque, Mesaque e Abde-Nego foram trazidos para fora, eles nem mesmo cheiravam a fumaça. Refiro-me a esses homens porque o diabo também tentou me destruir. Experimentei muito abuso em minha vida e, quando tentava me libertar, deparava-me com tanto sofrimento que não conseguia compreender. Então, Deus me mostrou que quando passamos por certas situações que nos colocam em escravidão, temos de enfrentá-las para sermos livres.

Quando começamos nossa jornada rumo à saúde plena com o Senhor, somos geralmente perturbados com o medo. O medo é o inimigo da confiança. As pessoas podem ter medo de muitas coisas: de dirigir carros, de ficar sozinhas e de algumas fobias internas.

Creio que o medo é uma falsa evidência que parece algo real. Se o diabo consegue nos assustar, então estamos colocando mais fé naquilo que ele diz do que naquilo que Deus diz. Uma coisa é sentir medo, mas o medo nos controlará se não nos posicionarmos e enfrentar nossos medos.

Uma mulher estava compartilhando o medo que ela tinha de fazer as coisas de que precisava fazer. Assim, uma amiga lhe disse: "Bem, faça-as mesmo com medo". Esse foi um conselho transformador para mim. Algumas vezes, precisamos enfrentar nossos medos e simplesmente "fazer as coisas, mesmo com medo".

Quando permitimos que o Senhor opere, Ele começa a nos fortalecer e a desatar "cada nó do medo, a Seu tempo". Ele nos ajuda a enfrentar as coisas difíceis e a descobrir que suas promessas são verdadeiras.

Nós não podemos gastar nossa vida fugindo de tudo que tememos.

Algumas pessoas têm tanto medo de elevador que até desistem de um emprego que está localizado no andar superior de um prédio. Se elas desejam o emprego, então precisam tomar o elevador, orar, subir poucos andares, sair, respirar e repetir o processo, até que vençam esse medo. Precisamos vencer os medos que nos mantêm fora da vontade perfeita de Deus para nossa vida.

A Bíblia é cheia de versículos que dizem "Não temas", porque Deus sabia que Satanás iria tentar usar o medo para manter Seu povo longe de cumprir seu destino em Deus.

Jesus disse a alguns dos seus primeiros discípulos: "Eu sou o caminho, sigam-me". Quando você decide seguir a Jesus, logo aprende que Ele nunca retrocedeu por causa de medo. Seu caminho sempre foi seguir em frente até a linha de chegada. Não seja como aquela mulher na fila de oração que sempre desistia no meio do caminho. Por mais difícil que pareça, decida permanecer na corrida e prosseguir!

9

Deixe o Passado

Encorajo as pessoas a abandonar seu passado, mas nunca a fugir dele. A única forma de obter a vitória sobre o sofrimento do nosso passado é deixar Deus caminhar conosco de volta pela porta do sofrimento e entrar em vitória. Ninguém pode alcançar a vitória por nós; temos de desenvolver nossa própria salvação. Paulo explicou essa verdade em sua carta à igreja em Filipos dizendo:

> Portanto, meus queridos... desenvolvei (cultivai, levai ao alvo, completai totalmente) vossa própria salvação com reverência e consciência e temor (sem autoconfiança, com séria precaução, escrúpulo, vigilância contra a tentação, recuando de tudo que possa ofender a Deus e desacreditar o nome de Cristo).
>
> [Não em vossa própria força] Pois é Deus quem está todo o tempo efetivamente operando em vós [energizando e criando em vós o poder e desejo], tanto para o querer quanto para o realizar da Sua boa vontade, satisfação e deleite (Filipenses 2.12, 13).

Temos de deixar Deus nos levar a enfrentar as coisas e trabalhar em nós para que nossa confusão se torne a nossa mensagem. As dificuldades que temos de enfrentar do nosso passado nos preparam para as bênçãos de Deus em nosso futuro.

Mesmo Jesus teve um tempo de treinamento para seu futuro. Hebreus 5.8-9 diz: Embora Ele fosse um Filho, aprendeu a obediência [ativa e especial] através do que sofreu e, [após passar integralmente por tudo] foi aperfeiçoado [equipado], tornando-se o Autor e Fonte da eterna salvação para todos aqueles que atentam para Ele e Lhe obedecem.

Houve um período na vida de Jesus do qual nada ouvimos sobre o que Lhe aconteceu. Durante esse tempo, apenas sabemos que Ele estava *crescendo*. Nós também passamos por tempos de crescimento dos quais somos incapazes de falar a respeito com alguém. É um tempo pessoal de crescimento que devemos enfrentar. Pode tratar-se de coisas dentro de nós que não compreendemos. Mas quando, finalmente, chegarmos ao lugar ao qual Deus queria nos levar, constataremos como o nosso passado nos preparou para aquilo que Deus desejava durante todo o tempo.

Gosto da história sobre o casal que foi a um antiquário certa vez e encontrou uma bela xícara de chá sobre uma prateleira. Eles a pegaram na prateleira e, assim, puderam vê-la mais de perto. Então disseram: "Vamos comprar essa xícara maravilhosa".

Subitamente, a xícara começou a dizer: "Não fui sempre assim. Houve um tempo em que eu era apenas um frio, áspero e descolorido punhado de barro. Um dia, meu mestre pegou-me e disse: 'Eu farei alguma coisa com isso'. Então, ele começou a me amassar, a me enrolar e a mudar minha forma.

Eu disse: 'O que você fazendo? Isso dói. Não sei se quero parecer com isso! Pare'! Mas ele disse: 'Não ainda'.

Assim, ele me colocou-me numa roda e começou a girar-me, a girar-me, até eu gritar, 'Pare com isso, estou ficando tonta'! 'Não ainda', 'ele disse'.

Então ele me moldou na forma de uma xícara e colocou-me em um forno quente. Gritei: 'Tire-me daqui! Está quente aqui, estou sufocando'. Mas ele apenas olhou-me através da pequena janela de vidro e sorriu dizendo: 'Não ainda'.

Quando ele me tirou dali, pensei que seu trabalho tinha terminado, mas então ele começou a me pintar. Eu não podia acreditar no que ele fez em seguida. Ele colocou-me de novo no forno, e eu disse: 'Você tem de acreditar em mim, não posso agüentar mais isso! Por favor, tire-me daqui!'. Mas ele disse: 'Não ainda'.

Finalmente, ele me tirou do forno e colocou-me numa prateleira onde eu pensei que ele havia se esquecido de mim. Então, um dia, ele me tirou da prateleira e me levou diante de um espelho. Eu não podia acreditar no que estava vendo. Eu tinha sido transformada nessa linda xícara de chá que todos desejam comprar."

Submeta-Se às Mãos do Oleiro

Deus tem um plano maravilhoso para nossa vida, e algumas vezes Ele começa a fazer mudanças tão rapidamente que nos sentimos meio atordoados, como um punhado de barro na roda do oleiro. Mas temos de confiar que Ele está trabalhando naquilo que é melhor para nós (veja Romanos 8.28). Precisamos apenas fluir com a corrente e deixar que Ele nos transforme em algo belo. Isaías compreendeu esse processo quando ele escreveu, "... porque escondes de nós o rosto... Mas agora, ó Senhor, tu és nosso Pai, nós somos o barro, e tu, o nosso oleiro; e todos nós, obra das tuas mãos" (Isaías 64.7-8 ARA).

Para termos vitória na vida cristã, temos de desejar largar o passado, morrer para o "eu", perdoar àqueles que nos ferem e deixar Deus nos levar ao lugar das bênçãos prometidas que Ele preparou para nós. Ninguém pode prometer que tudo será transformado da maneira que gostaríamos. Algumas coisas podem nunca se tornar da forma que desejamos, mas Deus pode nos mudar tanto que não iremos nos importar.

Nosso conforto tem de estar em Cristo. Precisamos esquecer aquilo que os outros pensam a nosso respeito ou o que as pessoas nos fizeram no passado. Temos de fixar nossa atenção naquilo que Deus quer fazer em nós, conosco, e por nós agora. Paulo escreveu: "...pois nele vivemos, e nos movemos, e existimos" (Atos 17.28 ARA).

Abandonar o passado envolve olhar para tudo de nova forma. Em Gálatas 2.20, Paulo oferece uma promessa a nós que necessitamos deixar as feridas do passado para podermos agora confessar: "Fui crucificado com Cristo [nele eu tenho compartilhado de Sua crucificação]; não sou mais eu quem vive, mas Cristo (o Messias) vive em mim; e a vida que eu agora vivo no corpo, vivo pela fé (por aderir e apoiar-se e confiar completamente) no Filho de Deus, que me amou e deu-se a si mesmo por mim".

Precisamos aprender a ficar satisfeitos por estarmos na vontade de Deus. Quanto mais nos tornarmos o que verdadeiramente somos em Cristo, menos importa o que fomos no passado ou mesmo aquilo que nos aconteceu. Paulo disse: "Considero tudo como perda, comparado com a possessão do privilégio incalculável (a preciosidade grandiosa, o valor insuperável, e o supremo privilégio) de conhecer a Cristo Jesus, meu Senhor, e de progressivamente tornar-me mais profunda e intimamente familiarizado com Ele [e percebê-lo, reconhecê-lo e compreendê-lo mais plena e claramente]" (Filipenses 3.8).

Ele acrescentou: Pois [meu firme propósito é] que eu possa conhecê-lo [que eu possa progressivamente tornar-me mais profunda e intimamente familiarizado com Ele, percebendo, reconhecendo e compreendendo as maravilhas de sua pessoa, mais forte e claramente], e que eu possa da mesma forma vir a conhecer o poder que flui de sua ressurreição [que é exercido sobre os crentes], de modo que possa assim compartilhar seus sofrimentos para ser continuamente conformado [no espírito da sua própria semelhança] à sua morte, [na esperança] de que seja possível alcançar a ressurreição [espiritual e moral] (que me levanta) dentre os mortos [mesmo enquanto no corpo]" (Filipenses 3.10-11).

Há lugares profundos para descobrirmos em Deus, e há lugares profundos em nós que somente Deus pode preencher. Precisamos compreender o poder da ressurreição de Deus, poder que nos levantará dentre os mortos, mesmo enquanto vivermos no corpo. Assim como a águia descansa suas asas nas correntes do ar para plainar acima das nuvens, Cristo nos levantará acima das tempestades de nossa vida.

Podemos ter um alvo de nos mover em direção à perfeição, mas nunca chegaremos a esse estado da perfeição até que Jesus volte. Devemos aceitar a nós mesmos, devemos nos amar e desfrutar a jornada porque sabemos que Deus está trabalhando em nosso futuro todo o tempo.

Prosseguindo para o Que Está Adiante

Paulo continuou a escrever:

> Não que eu agora já tenha alcançado [este ideal] ou, que já tenha me tornado perfeito, mas eu prossigo em conquistar (apoderar-me) e tornar meu, aquilo pelo qual Cristo Jesus (o Messias) já conquistou para mim e tornou meu. Eu não considero, irmãos, que já tenha capturado e conquistado [ainda]; mas uma coisa eu faço [e esta é a minha aspiração]: *esquecendo-me do que fica para trás e buscando o que está adiante, eu prossigo para o alvo* para conquistar o prêmio [supremo e celestial] para o qual Deus, em Cristo Jesus, está nos chamando a alcançar! (Filipenses 3.12-14, grifo da autora).

Se você tem se sentido miserável por causa das coisas que aconteceram em seu passado, encorajo-o a fazer como eu fiz e colocar seu foco numa nova direção. Determine ser o que Deus quer que você seja, ter o que Deus quer que você tenha e receber o que Jesus morreu para lhe dar.

Quando você estiver pronto para mudar, diga: "Não vou mais viver em escravidão. Não vou viver numa caixa, comparando-me com os outros, e tentando ser o que eles dizem que eu devo ser. Não posso fazer nada a respeito do que ocorreu no meu passado, mas posso fazer algo sobre o meu futuro. Vou desfrutar minha vida e ter o que Jesus morreu para que eu tenha. Vou abandonar o passado e prosseguir buscando a Deus deste dia em diante".

Exige maturidade abandonar o passado, mas um cristão maduro recebe a plenitude das bênçãos de Deus. Você pode esquecer as falhas antigas, os antigos desapontamentos e os antigos relacionamentos que não funcionaram. Em vez disso, você pode descobrir as novas misericórdias que Deus está pronto para lhe dar a cada dia por causa da aliança que Ele fez com você quando você colocou sua confiança em Seu Filho Jesus Cristo para salvá-lo.

O rei Davi procurou familiares de seu antecessor, o rei Saul, porque ele queria abençoá-los, simplesmente porque ele tinha um relacionamento de aliança com o filho de Saul, Jônatas. Em 2 Samuel 9, encontra-se a história de como Davi encontrou o filho aleijado de Jônatas, Mefibosete, e o trouxe ao palácio real onde poderia cuidar dele. Mefibosete não tinha *feito* nada para merecer essa proteção e provisão, exceto que ele tinha um relacionamento com aquele que tinha uma aliança com Davi.

Essa é uma figura que nos mostra a razão pela qual Deus cuida de nós. Ele nos abençoa porque nós, como crentes, temos um relacionamento com Seu Filho. Não merecemos ser abençoados. Não merecemos as bênçãos. Podemos até mesmo ser aleijados emocionalmente por causa de algum incidente de nosso passado. Mas Deus nos apanha e nos restaura para o devido lugar em Seu reino de paz.

Deus não espera que façamos tudo certo antes de nos abençoar. De fato, a oração mais ungida que podemos fazer é: "Senhor, ajude-me". Não podemos alcançar a perfeição sem Deus. Devemos ser totalmente dependentes dEle para manter suas promessas em nossa vida. Somos somente chamados para ser *aqueles que crêem*, do contrário seríamos *aqueles que fazem* (N.T.: João 6.28,29).

Os discípulos perguntaram a Jesus: "O que devemos fazer para que possamos (habitualmente) realizar as obras de Deus? (O que devemos fazer para cumprir o que Deus requer?)" (João 6.28).

Jesus respondeu, "Esta é a obra (serviço) que Deus pede de vocês: *Que creiam naquele que Ele enviou* (que se apeguem, confiem, apóiem-se, tenham fé em seu Mensageiro)" (v. 29).

Os versículos 1-12 do Salmo 51 oferecem uma poderosa oração para nós fazermos:

> COMPADECE-TE de mim, ó Deus, segundo o teu constante amor, e, segundo a multidão das tuas misericórdias e bondade amorosa, apaga as minhas transgressões.
>
> Lava-me completamente (e repetidamente) da minha iniqüidade e culpa, e purifica-me e torna-me completamente limpo do meu pecado.
>
> Pois eu conheço as minhas transgressões e as reconheço, e o meu pecado está sempre diante de mim.
>
> Pequei contra ti, contra ti somente, e fiz o que é mal perante os teus olhos, de maneira que serás tido por justo no teu falar e puro no teu julgar.
>
> Eu nasci na (num estado de) iniqüidade, e em pecado me concebeu minha mãe (e eu também sou pecador).
>
> Eis que te comprazes na verdade no íntimo e no recôndito me fazes conhecer a sabedoria.
>
> Purifica-me com hissopo, e ficarei (cerimonialmente) limpo; lava-me, e ficarei (verdadeiramente) mais alvo que a neve.
>
> Faze-me ouvir júbilo e alegria e satisfação, para que exultem os ossos que esmagaste.

> Esconde o rosto dos meus pecados e apaga toda a minha culpa e as minhas iniqüidades.
>
> Cria em mim, ó Deus, um coração puro e renova dentro de mim um espírito reto, perseverante e inabalável.
>
> Não me repulses da tua presença, nem me retires o teu Santo Espírito.
>
> Restitui-me a alegria da tua salvação e sustenta-me com um espírito voluntário.

Se simplesmente pedirmos a Deus, Ele nos libertará do sofrimento do nosso passado e criará em nós um espírito inabalável. Mas, embora não tenhamos que *fazer* alguma coisa para receber a libertação de Deus, podemos perder as bênçãos se fugimos dos nossos problemas sem deixar que Deus nos leve a enfrentá-los.

Moisés buscou um caminho mais fácil para sair de seus problemas após ter antecipado o tempo de Deus. Ele matou um egípcio, e houve uma testemunha do assassinato; assim, ele fugiu para se esconder no deserto. Antes que Deus chamasse Moisés para liderar a saída para a terra prometida, Ele lhe disse para voltar ao Egito (veja Êxodo 3.1-10): "Porque eu seguramente tenho visto o abuso e opressão sobre o meu povo no Egito, e tenho ouvido o seu gemido e clamor, Eu desci para resgatá-lo. Então, venha! Eu te enviarei de volta ao Egito [como meu mensageiro]" (Atos 7.34).

Deus estava enviando Moisés de volta para o povo que O tinha "negado (ignorado e rejeitado)" (Atos 7.35). Seu próprio povo tinha debochado dEle dizendo: "Quem te pôs por príncipe e juiz sobre nós"? (veja Êxodo 2.14). Moisés, provavelmente, não ficou empolgado em ter de voltar e enfrentar seus problemas no Egito.

Deus nem sempre nos chama para voltarmos fisicamente a um lugar em que estivemos. Mas se, por exemplo, tivemos um tempo difícil submetendo-nos a um chefe com certa personalidade, Deus pode nos chamar para continuar trabalhando com alguém que tem a mesma personalidade até que dominemos a situação de uma forma que Lhe agrade. Deus não quer que estejamos em fuga; Ele quer que confrontemos nossos medos e frustrações com o objetivo de encontrar paz nEle.

Em 1 Reis 19, Elias fugia quando Deus lhe disse que voltasse e completasse o que Ele lhe mandara fazer. Quando Jonas fugiu de seus problemas, ele foi engolido por um grande peixe. Quando Deus o libertou do peixe, Ele lhe disse que voltasse Nínive e proclamasse sua mensagem para as pessoas ali (veja Jonas, capítulos 1-3).

Se tentarmos resolver nossos próprios problemas sem esperar em Deus, poderemos nos envolver em grandes confusões. Sara fez isso quando convenceu seu marido Abraão a ter um filho com sua serva Hagar, em vez de esperar pelo filho que Deus lhes prometera (veja Gênesis 16). Hagar, finalmente, fugiu por causa da maneira como Sara a tratava, mas o anjo do Senhor lhe disse: "Volte para sua senhora e (humildemente) submeta-se ao Seu comando" (v. 9). Ele prometeu abençoar sua obediência ao lhe dar muitos descendentes (veja v. 10).

Deus pode lhe dizer para voltar ao lugar de sua frustração e dor, para que Ele possa conduzi-lo através da porta do sofrimento para um viver vitorioso. Não fuja do Seu convite para a cura emocional.

Formas pelas Quais as Pessoas Fogem de Seus Problemas

É comum as pessoas fugirem dos seus problemas porque não querem ter responsabilidade por suas ações. A maioria das pessoas procura o caminho mais fácil em vez de procurar a escolha certa. Alguns fogem fisicamente de seus problemas, saindo de casamento para casamento, de emprego para emprego. Outros fogem mentalmente de seus problemas usando drogas e álcool. Mas os problemas não desaparecem ao evitá-los.

Cada escolha que fazemos traz resultados. Se escolhermos nunca limpar a casa, finalmente tudo se estragará. Se decidirmos não ir ao supermercado, cedo ou tarde não teremos mais comida em casa. O problema é que queremos fazer escolhas erradas e obter resultados certos, mas isso não funciona. Sempre colhemos o que semeamos (veja Gálatas 6.7-8). Se escolhermos fazer o que é certo, conseqüentemente, quebraremos o ciclo de problemas que vêm contra nós.

Algumas pessoas fogem dos problemas dando desculpas. Quando Deus as confronta com algo, elas dizem: "Bem, estou agindo assim porque estou cansado". Ou, "Agi dessa forma porque tenho sido maltratado toda a minha vida". Uma desculpa é um motivo recheado com uma mentira. O problema com as desculpas é que, enquanto permanecermos com elas, não veremos mudanças.

Jesus contou a história de um homem que planejava um grande banquete e convidou muitas pessoas (veja Lucas 14.16-24), mas, um por um, eles deram desculpas com os motivos pelos quais eles não poderiam ir. O primeiro disse que estava muito ocupado com um pedaço de terra que tinha acabado de comprar, o outro deu a desculpa de ter comprado bois que precisavam ser cuidados e o terceiro disse que não poderia vir porque tinha acabado de se casar. Assim, o homem convidou todos os pobres, os aleijados, os cegos e os coxos das ruas e encheu sua casa com pessoas que desejavam ser abençoadas. Aqueles com desculpas nunca experimentaram o grande banquete que tinha sido preparado para eles.

Outra forma de as pessoas fugirem de problemas é culpando outros por tudo que está errado. Adão culpou Eva por comer o fruto proibido; ele culpou até Deus por ter-lhe dado a mulher, enquanto Eva culpou a serpente por enganá-la (veja Gênesis 3). Os israelitas culparam Moisés por sua miséria no deserto e desejaram voltar ao seu lugar de escravidão no Egito (veja Êxodo 14.10-12).

Lembro-me de quando me cansei de culpar a todos pelos meus problemas. Tudo era falha de Dave ou da minha educação. Tive de ver que eu era meu único real problema.

Jesus disse: "Por que você olha apenas para uma pequena partícula que está no olho de teu irmão, mas não toma consciência e considera na trave de madeira que está no teu próprio olho"? (Mateus 7.3).

Desfruto tremenda liberdade agora, mas isso foi conquistado enfrentando a verdade sobre mim mesma. Deus me mostrou que eu tinha má atitude, e meus problemas não seriam resolvidos até que *eu* mudasse. É difícil mudar, mas tive de enfrentar o que Deus tinha me revelado.

Somente conquistamos a liberdade ao ouvir a verdade e fazer o que Deus nos diz para fazermos. Por exemplo, se Deus disser que você tem problemas porque sente inveja, você continuará a perder as bênçãos até lidar com isso. Você terá de começar a se alegrar quando coisas boas acontecerem com outras pessoas. Seja o que for que mantenha você em escravidão, terá de ser confrontado com a verdade antes que você possa prosseguir.

As pessoas também fogem de seus problemas ao se manterem muito ocupadas. Podemos nos manter ocupados até mesmo ao fazermos a obra da igreja e não termos tempo para ouvir a Deus. Eu estava no ministério em tempo integral, ajudando pessoas a resolver seus problemas, quando Deus falou comigo: "Joyce, você está tão ocupada em *fazer* as coisas para mim que você nunca passa tempo *comigo*". Tive de dar uma olhada honesta em meu tempo e parar de fazer muitas coisas que não estavam dando frutos. Permanecer ocupada estava me ajudando a evitar questões que eu precisava resolver.

Paulo orou para que nós, a Igreja, aprendêssemos a perceber o que é vital:

> E isso eu oro: que o vosso amor possa abundar mais e mais e estender-se ao seu pleno desenvolvimento em conhecimento e em toda profunda percepção [que vosso amor possa manifestar-se em maior profundidade de conhecimento e num discernimento mais abrangente].

> Assim, que vós possais aprender mais seguramente a perceber o que é vital, e aprovar e valorizar o que é excelente e de real valor [reconhecendo o excelente e o melhor, e distinguindo as diferenças morais], e serdes imaculados, puros, sem falhas e irrepreensíveis [assim que com corações sinceros, corretos e imaculados possais chegar] no dia de Cristo [não tropeçando nem levando outros a tropeçar] (Filipenses 1.9,10).

Precisamos saber ao que dizer sim e o que rejeitar. Tive de aprender como dizer *não* porque decidi fazer cada dia compensar o que eu tinha perdido nesta vida. Muitas vezes, o que parece bom é um inimigo do melhor.

Por exemplo, Deus disse a uma mulher que eu conhecia que ela precisava parar de gastar tanto tempo ajudando outras pessoas e passar mais tempo com seu próprio filho. Precisamos saber o que Deus quer que façamos com nosso tempo, e somente aprendemos o que Ele quer passando tempo com Ele em oração. Se ouvir a Deus é difícil para você, eu o encorajo a ler meu livro intitulado *How to Hear from God* (Como Ouvir a Deus). Nele eu compartilho muitas formas de Deus comunicar-se conosco, e como isso sempre se alinha com Sua Palavra e nos leva à paz.

A procrastinação é outra forma comum de fugir dos problemas. Damos desculpas, acusamos os outros e dizemos que estamos muito ocupados, e assim protelamos algo que Deus nos disse para fazer. Pensamos que o faremos mais tarde, mas esse mais tarde nunca chega. "Tornamo-nos tardios ou surdos para ouvir".

Ageu 1.2-7 mostra o que acontece com aqueles que desprezam o que Deus lhes disse para fazer:

> Assim fala o Senhor dos Exércitos: Este povo diz: Não veio ainda o tempo, o tempo em que a Casa do Senhor deve ser edificada (embora Ciro já tivesse ordenado que isso fosse feito 18 anos antes).
>
> Veio, pois, a palavra do Senhor, por intermédio do profeta Ageu, dizendo:

> Acaso, é tempo de habitardes vós em casas apaineladas, enquanto esta casa (do Senhor) permanece em ruínas?
>
> Ora, pois, assim diz o Senhor dos Exércitos: Considerai os vossos caminhos e ponderai no que tem acontecido a vocês.
>
> Tendes semeado muito e recolhido pouco; comeis, mas não chega para fartar-vos; bebeis, mas não dá para saciar-vos; vestis-vos, mas ninguém se aquece; e o que recebe salário, recebe-o para pô-lo num saquitel furado.
>
> Assim diz o Senhor dos Exércitos: Considerai o vosso caminho (sua conduta passada e presente) e como tendes vivido.

Temos de nos motivar a fazer o que Deus nos diz para fazer, *quando* Ele nos diz para fazer. Salomão escreveu; "Aquele que observa o vento [que espera por todas as condições favoráveis] nunca semeará, e aquele que considera as nuvens nunca colherá" (Eclesiastes 11.4).

Se você olhar para suas circunstâncias, você protelará o que Deus está lhe dizendo para fazer. Pode mesmo parecer que seja o pior momento para fazer o que Deus disse, mas há uma unção no "agora", se Deus lhe disse para agir.

Não é bom passar nosso tempo fugindo dos problemas. Precisamos diminuir a marcha, discernir o que é vital, aceitar a responsabilidade por nossas ações e, se necessário, simplesmente dizer: "Eu estou errado e peço desculpas". Não devemos deixar a procrastinação nos roubar as bênçãos de Deus.

Se quisermos desfrutar o melhor de Deus para nossa vida, devemos parar de dar desculpas, de culpar os outros e de ser ocupados demais para fazer o que Deus nos diz para fazer. Ele pode nos pedir para dar, ajudar, orar, perdoar, para pedir perdão ou alguma coisa mais. Mas seja o que for, precisamos aprender a ser "pessoas do agora" que ouvem a Deus e agem rapidamente quando Ele fala conosco.

10

Redimidos e Tornados Justos

JESUS CRISTO DEU sua vida para que possamos ter justiça. A justiça é destinada a todos os que crêem com "fé pessoal e dependência confiante em Jesus Cristo (o Messias)" (Romanos 3.22).

Falando de Jesus, Pedro escreveu: Ele pessoalmente carregou nossos pecados em Seu [próprio] corpo no madeiro [como num altar e ofereceu-se a si mesmo nele], para que nós pudéssemos morrer (cessar de existir) para o pecado e viver para a justiça. Por suas chagas fostes sarados (1 Pedro 2.24).

Fomos criados por Deus para nos sentirmos satisfeitos e bem a respeito de nós mesmos. Mas o diabo quer que nos sintamos mal; ele quer que sintamos vergonha, culpa e condenação. Por causa da presença do pecado no mundo e da natureza do pecado que veio sobre nós por meio da queda da humanidade, não podemos fazer tudo corretamente.

Para resistir à tentação do diabo de viver em constante remorso em vez de contínua vitória, devemos conhecer e compreender a verdade da Palavra de Deus. Quando aceitamos Jesus como nosso Salvador, Ele transfere ou *nos dá* o dom da justiça, e *pela fé* somos feitos justos diante de Deus. Não somos feitos justos diante de Deus por causa da nossa própria perfeição ou de nossas boas obras; somos considerados justos por causa da nossa confiança em Jesus Cristo.

Em 2 Coríntios 5.21, o apóstolo Paulo nos diz o que Deus fez por nós: "Por nossa causa Ele fez Cristo [virtualmente] tornar-se pecado, aquele que não conheceu pecado, para que nele e através dele nós pudéssemos nos tornar [ser dotados da, visto como sendo, e exemplos da] justiça de Deus [o que nós devemos ser, aprovados e aceitáveis e em correto relacionamento com Ele, pela sua bondade]".

Deus enviou Jesus Cristo para nos redimir (isto é, para nos comprar de volta do diabo para quem nos vendemos como escravos do pecado), para nos restaurar (para nos fazer como deveríamos ser desde o início). Fomos criados e redimidos por Deus para a justiça, não para a vergonha, a culpa ou a condenação.

Nenhuma Condenação em Cristo

Se lermos e compreendermos a Palavra de Deus, podemos nos libertar de pensamentos errados sobre nós mesmos. Paulo escreveu em Romanos 8.1: "Portanto, [não há] agora nenhuma condenação (nenhuma sentença de culpa pelo erro) para aqueles que estão em Cristo Jesus, *que vivem (e) andam, não segundo os ditames da carne, mas segundo os ditames do Espírito*".

Certamente, se seguirmos a direção do Espírito Santo, nunca deveríamos fazer algo errado, e assim a culpa não teria lugar para criar raiz em nós. Contudo, como somos humanos, estamos sujeitos a cometer um erro. Como nosso Senhor apontou, "o espírito, na verdade, está pronto, mas a carne é fraca" (Mateus 26.41-ARA).

Não conseguimos fazer tudo de forma perfeita, embora gostaríamos de fazê-lo, mas podemos ser livres da culpa ao caminharmos no Espírito. O Senhor prometeu nos dirigir em nossa vida se atentarmos para Ele e obedecer-Lhe: "Dai ouvidos à minha voz, e eu serei o vosso Deus, e vós sereis o meu povo; *andai em todo o caminho que eu vos ordeno*, para que vos vá bem" (Jeremias 7.23-ARA, grifo da autora).

Pecamos quando paramos de fazer o que o Espírito Santo nos manda fazer. Sentimentos de condenação e culpa vêm como resultado desse pecado, porque o diabo vê uma brecha e imediatamente se move para nos roubar de nossa confiança na graça de Deus. Se realmente queremos viver sem culpa, devemos lidar com a tentação de pecar tão logo estejamos conscientes dela.

Se você entrar em tentação ou cair em pecado, em vez de tentar restaurar-se por meio de boas obras, que significa caminhar segundo a carne (sua natureza humana), peça a Deus que lhe perdoe e escolha voltar-se para o Espírito. Você peca porque deixa de seguir a direção do Espírito Santo. Se você se mantiver seguindo a carne, somente se aprofundará mais e mais no problema e na confusão. Se, pelo contrário, você se voltar rapidamente e seguir o Espírito, permitirá que Ele o oriente e o direcione para resolver sua situação.

O Espírito sempre tem a resposta certa para cada problema, e Ele não o condena quando você retorna a Ele. Está escrito: "Porque Deus não nos destinou para [derramar] a [sua] ira [Ele não nos escolheu para nos condenar], mas para alcançar a [Sua] salvação mediante nosso Senhor Jesus Cristo (o Messias)" (1 Tessalonicenses 5.9).

Por exemplo, o Espírito nos guiará ao arrependimento, que produz o perdão de Deus:

Se nós [livremente] admitimos que temos pecado e confessarmos nossos pecados, Ele é fiel e justo (verdadeiro em sua própria natureza e promessas) para perdoar nossos pecados [remover nossa iniqüidade] e [continuamente] nos purificar de toda a injustiça [tudo o que não está em conformidade com a sua vontade em propósito, pensamento e ação] (1 João 1.9).

Quando as pessoas seguem a carne, podem ser levadas a pensar que Deus tem a obrigação de retribuir-lhes por suas obras. Mas a carne sempre tenta reparar seus erros em vez de simplesmente receber o dom do perdão e da restauração de Deus.

Lidando com a Culpa

O Senhor, certa vez, deu-me uma grande revelação sobre a culpa. Até onde posso me lembrar, eu vivia sentindo culpa, A culpa era minha constante companhia. Andávamos sempre juntas por todo lugar! Essa consciência do pecado começou desde minha infância, quando fui abusada sexualmente. Ainda que meu pai me dissesse que aquilo que ele fazia comigo não era errado, eu me sentia suja e culpada. Certamente, ao me tornar mais velha, consciente de que aquilo estava errado, mas sem conseguir resolver a situação, minha culpa só continuou e cresceu.

O que aprendi por experiência própria é que a culpa é um peso insuportável, uma carga que oprime o espírito. A culpa faz tudo parecer escuro e nos faz sentir cansados e fracos. Realmente, ela tira nossa energia e suga a força de que precisamos para resistir ao pecado e a Satanás. Assim, o resultado é que a culpa e a condenação realmente fazem o pecado crescer.

Creio que era viciada em culpa. Antes que aprendesse sobre a graça de Deus, não me lembro de ter me sentido em algum momento sem culpa! Mesmo não fazendo nada particularmente mau ou pecaminoso, eu descobria alguma forma de me sentir errada a respeito de algo.

Satanás quer nos empurrar para baixo. Ele é o acusador daqueles que crêem em Cristo; ele continua a trazer acusações contra nós diante de Deus (veja Apocalipse 12.10). Mas Davi, o salmista, escreveu: "Porém tu, Senhor, és o meu escudo, és a minha glória e o que exaltas a minha cabeça" (Salmos 3.3-ARA).

Por exemplo, fui fazer compras certo dia, e a minha constante companhia de culpa estava comigo. Não me recordo do que tinha feito de errado daquela vez; mas isso nem mesmo importa, pois sempre havia algo. Eu estava saindo de meu carro para ir a uma loja quando o Espírito Santo me disse: "Joyce, como você planeja obter o perdão para este pecado"?

Eu sabia a resposta certa e disse: "Aceitarei o sacrifício que Jesus fez por mim quando Ele morreu no calvário". Podemos saber a resposta (termos um conhecimento mental) e, ainda assim, não aplicá-la para nossa própria situação.

Então o Espírito Santo continuou: "Compreendo Joyce, mas quando você planeja aceitar o sacrifício de Jesus"?

Uma grande revelação começou a brilhar dentro de mim! Naquele momento, percebi que podia esperar dois ou três dias até me sentir culpada o suficiente e, então, aceitar o perdão de Deus, ou poderia receber o perdão naquele mesmo momento.

Sempre pedi perdão por meus pecados imediatamente, mas nunca os aceitava até sentir que já tinha sofrido o suficiente para pagar por isso. Deus revelou-me o que eu estava fazendo, quanta dor desnecessária eu estava causando a mim mesma. Ele até me mostrou que aquilo que eu estava fazendo insultava a Jesus, pois, em essência, eu estava dizendo: "Senhor, o sacrifício de sua vida e sangue foi bom, mas não foi bom o suficiente. Devo acrescentar minha obra de sentimento de culpa antes que eu possa ser perdoada".

Naquele mesmo dia comecei a me libertar da culpa e da condenação. Encorajo você a fazer o mesmo. Lembre-se, a culpa não resolve nada! Ela não alcança nada, exceto o seguinte:

- A culpa suga sua energia e pode mesmo levá-lo a adoecer física ou mentalmente.
- A culpa bloqueia seu relacionamento com Deus. Hebreus 4.15-16 diz: "Pois não temos um Sumo Sacerdote incapaz

de compreender e identificar-se e ter um sentimento de compaixão por nossas fraquezas, enfermidades e deficiências durante os ataques da tentação. Pelo contrário, Ele foi tentado em todas as situações, como nós o somos, contudo sem pecar. Vamos, então, sem medo, confiante e ousadamente aproximarmo-nos do trono da graça (o trono do favor imerecido de Deus para nós, pecadores), para que possamos receber misericórdia [por nossas falhas] e encontrar a graça para nos ajudar no tempo apropriado para cada necessidade [socorro oportuno a seu tempo, vindo justamente quando precisamos dele]".

- A culpa, como obra da carne, exige que você tente pagar pelos seus pecados.
- A culpa drena sua energia espiritual. Ela o deixa fraco e incapaz de resistir a novos ataques do inimigo. Uma guerra espiritual bem-sucedida requer a vestimenta da "couraça da *justiça*" (Efésios 6.14, grifo da autora). A culpa leva você a pecar mais.
- A culpa exerce grande pressão em você, sugerindo que manter um bom relacionamento com as pessoas é difícil. É quase impossível viver sob o fardo da culpa e ainda operar no fruto do Espírito (veja Gálatas 5.22,23).

Certamente, você pode ver por esta lista que a culpa é algo do qual devemos nos livrar. Deixe-a sair! Ela é do diabo e pretende impedir você de desfrutar sua vida e seu relacionamento com o Senhor.

Se você tem um sério problema nessa área da culpa, talvez precise pedir a alguém que ore por você. Se sua fé é forte o suficiente, então ore por si mesmo. Contudo, a culpa rouba a fé, e se você tem vivido por um longo tempo carregando o fardo de culpa e condenação, sua fé pode precisar ser fortalecida. Peça ajuda se você precisar. Recuse-se a continuar vivendo pressionado por um fardo de culpa e condenação.[6]

E Quanto à Vergonha?

Agora que já temos melhor compreensão da culpa, vamos voltar nossa atenção para a "vergonha".

Há um tipo de vergonha que é normal e saudável. Se perco ou quebro algo que pertence a outra pessoa, sinto-me envergonhada por meu erro. Eu desejaria não ter sido tão descuidada ou negligente. Sinto-me mal, mas posso pedir perdão, recebê-lo e, então, prosseguir com minha vida. A vergonha saudável nos lembra que somos seres humanos com fraquezas e limitações.

Em Gênesis 2.25, lemos que Adão e Eva estavam nus no Jardim do Éden e não se envergonhavam Além do fato de eles não estarem vestindo qualquer roupa, creio que esse versículo fala de que eles eram totalmente abertos e honestos um como o outro e não se escondiam atrás de máscaras, papéis ou simulações. Eles eram totalmente livres para serem eles mesmos porque não tinham nenhum sentimento de vergonha. Uma vez que eles pecaram, contudo, eles se esconderam (veja Gênesis 3.6-8).

As pessoas deveriam ser capazes de desfrutar de perfeita liberdade um com o outro e com Deus, mas poucos são capazes de fazê-lo. As pessoas, na sua maioria, fingem. Elas criam uma personalidade falsa e se escondem atrás disso. Agem como se não estivessem feridas quando, na verdade, estão ou fingem que não precisam de alguém quando, na verdade, precisam.

Há uma vergonha venenosa que pode afetar drasticamente a qualidade da vida de uma pessoa. Isso ocorre quando um indivíduo que foi abusado ou maltratado de alguma forma começa a interiorizar a vergonha que ele sente. Ele não mais se sente apenas envergonhado pelo que lhe foi feito, mas se torna envergonhado de si mesmo por estar sendo sujeito àquela situação.

Tal indivíduo leva a vergonha para dentro de si transformando-a na essência do seu ser. Tudo em sua vida torna-se envenenado pela suas emoções e, assim, ele desenvolve uma personalidade baseada na vergonha.

Antigamente, eu era firmada num sentimento de vergonha, mas não percebia que estava com vergonha de mim mesma. Eu estava vendo os resultados da vergonha em minha vida, mas tentava de forma malsucedida lidar com o fruto disso em vez de tratar com a raiz.

A definição para a palavra "envergonhavam" na versão *King James* de Gênesis 2.25 (não se envergonhavam), é: "*desapontavam... detinham-se...* confundiam-se".[7]

A palavra *confundir* significa frustrar-se ou atordoar-se. O dicionário *Webster* define o verbo *confundir* como "desnortear", "desconcertar", "condenar" [8]. O *Webster* define o verbo *condenar* como "condenar para um destino infeliz", "sentenciar"; "julgar adversamente", "causar a ruína de"; "fazer definhar".[9]

Se você tiver tempo para realmente estudar essas definições, poderá descobrir que a raiz do seu problema é a vergonha.

Lidando com a Vergonha

Minha vida estava cheia de confusão, e eu tentava desesperadamente fazer a coisa certa (pois, assim, eu poderia "me sentir bem"), mas não importa quanto eu tentasse, sempre falhava. Era como se eu fosse condenada a falhar. Contudo, eu não falhava a respeito de tudo. Era bem-sucedida no mundo profissional e em outras áreas, mas sempre falhava em manter um comportamento bom. Sempre me sentia derrotada, porque, não importava o que eu realizasse do lado de fora, eu ainda me sentia mal a respeito de mim mesma interiormente.

Eu tinha vergonha de mim mesma!

Eu não gostava de quem eu era. Não gostava de minha personalidade. Continuamente rejeitava meu próprio *eu* e tentava ser alguém ou alguma coisa que não era e nunca poderia ser (discutirei esse tópico mais detalhadamente em outro capítulo).

Milhares de cristãos gastam sua vida inteira nessa condição lamentável, vivendo bem abaixo da sua posição como herdeiros de Deus e co-herdeiros com Jesus Cristo. Sei disso porque eu era assim.

Paulo escreveu que o sofrimento que enfrentamos agora um dia será digno da glória da herança devida a nós:

> E se nós somos [Seus] filhos, então somos [Seus] herdeiros também: herdeiros de Deus e co-herdeiros com Cristo [compartilhando a Sua herança com Ele]; apenas devemos compartilhar Seus sofrimentos se formos compartilhar Sua glória.
>
> [Mas, o que importa?] Pois eu considero que o sofrimento deste tempo presente (essa vida presente) não é digno de ser comparado com a glória que está para ser revelada a nós, em nós, para nós e a ser conferida a nós! (Romanos 8.17-18).

Foi um grande dia quando o Espírito Santo levou-me a compreender que a vergonha era a fonte de muitos dos meus problemas! Há promessas na Palavra de Deus que nos asseguram que podemos ser livres do sentimento de vergonha. Por exemplo, está escrito em Isaías 61.7: "Ao invés da sua [antiga] vergonha você terá uma dupla recompensa; ao invés de desonra e da reprovação [seu povo] irá se alegrar em sua porção. Portanto, em sua terra eles possuirão o dobro [que perderam]; alegria eterna lhes pertencerá".

Vamos examinar mais detalhadamente essa passagem, que oferece "uma dupla recompensa". *Uma recompensa pode ser* uma compensação ou retribuição por um dano. Em outras palavras, quando você confia em Deus e faz as coisas da forma dEle, Ele atentará para isso e você será reparado por toda a injustiça que lhe foi feita. Você receberá o dobro do que perdeu ou de que foi privado e terá eterna alegria! Essa é uma promessa maravilhosa, e posso assegurar-lhe a realidade dela. Deus tem feito exatamente isso por mim, e Ele fará por você também.

Outra promessa do Senhor encontrado em Isaías 54.4: "Não temas, pois você não será envergonhada; nem fique confusa ou deprimida, pois você não será colocada em vexame, pois você se esquecerá da vergonha da sua mocidade, e não se lembrará (seriamente) da rejeição da sua viuvez nunca mais".

Quão inspirador e encorajador é saber que você pode se esquecer dos danos do seu passado e nunca ter de seriamente se lembrar daqueles tempos difíceis! Você pode agarrar-se a essa mesma promessa, caso você ainda esteja sendo abusado ou maltratado.

Talvez você sinta que o Senhor quer que você permaneça suportando por mais algum tempo um abuso verbal ou emocional, enquanto Ele está fazendo uma obra na pessoa que está ferindo você. Como você pode se guardar para não desenvolver uma natureza baseada na vergonha? A oração do salmista pode ser a sua também: "Guarda-me a alma e livra-me; não seja eu envergonhado, pois em ti me refugio" (Salmos 25.20-ARA).

Deus pode guardá-lo da vergonha. Sugiro que cada vez que você sofrer algum abuso verbal e emocional, simplesmente, ore e peça a Deus que o guarde da vergonha que tenta se instalar dentro de você. Use essa palavra do Salmo 25.20 como uma espada de dois gumes contra o inimigo (o qual, nesse caso é a vergonha).

A seguir, dou um exemplo de como esse procedimento trabalhará em seu favor. Conheço a esposa de um pastor que não tinha problema algum em seu relacionamento sexual com seu marido, embora seus parentes tivessem abusado sexualmente dela por muitos anos. De outro lado, como resultado do abuso sexual, tive muitos, muitos problemas para confrontar e vencer em meu relacionamento sexual com meu marido.

O que fez a diferença? Quando questionei minha amiga, descobri que durante a infância ela tinha mantido uma fé fortalecida em Deus. O abuso começou quando ela tinha aproximadamente 14 anos de idade. Naquele tempo, ela já vinha desfrutando muitos anos de um bom relacionamento cristão e tinha uma ativa vida de oração. Ela orava cada vez que seus abusadores a molestavam, pedindo a Deus que a cobrisse a fim de que aquilo não afetasse seu "relacionamento sexual com seu futuro marido". Ela sabia que um dia se casaria com um pastor, pois o Senhor já lhe revelara isso. Suas orações a protegeram da vergonha e da escravidão nessa área.

Em meu caso, eu não conhecia o suficiente sobre Deus para ativar minha fé por meio da oração. Portanto, sofri por causa da vergonha, até descobrir que eu estava me firmando na vergonha e aprender sobre as promessas de Deus para me libertar.

Você pode também ser liberto da vergonha, a qual é a fonte de muitos complexos interiores, tais como:

- alienação;
- comportamentos compulsivos (drogas/álcool, distúrbios alimentares; vício por dinheiro, por trabalho ou por outros objetos ou atividades, perversões sexuais;
- necessidade excessiva de estar no controle, falta de autocontrole ou autodisciplina, fofoca, espírito crítico, etc.);
- depressão;
- profundo senso de inferioridade (o pensamento "há-algo-errado-comigo");
- síndrome de falha;
- isolamento, solidão;
- falta de confiança;
- comportamento neurótico (uma pessoa neurótica assume muitas responsabilidades; em tempos de conflito ela automaticamente presume que é a culpada);
- perfeccionismo;
- timidez (medo de todos os tipos);
- inabilidade de desenvolver e manter relacionamentos saudáveis.

Depressão

O que cremos em nosso coração a respeito de nós mesmos influencia profundamente a nossa maneira de agir: "Porque, como uma pessoa imagina em sua alma, assim ela é" (Provérbios 23.7, parafraseado). Se pensarmos de maneira miserável a respeito de nós mesmos, ficaremos deprimidos.

Há muitas pessoas que sofrem dessa terrível condição de depressão, a qual tem muitas causas complexas, sendo uma delas a vergonha. Se você é inclinado à depressão, isso pode ser um sinal de um problema mais profundo, uma raiz de vergonha.

Aqueles que têm um pensamento baseado na vergonha falam negativamente sobre si mesmos. Tais pensamentos e palavras erradas colocam um grande peso no espírito deles. Esse é um grande problema, porque Deus criou os seres humanos para a justiça, para o amor e para a aceitação. Deus está sempre derramando essas virtudes de Seus filhos, mas muitos deles não sabem como recebê-las.

Você não pode receber amor e aceitação de Deus se estiver contra si mesmo. Se você tem um problema nessa área, não se acomode e simplesmente deixe o diabo destruir você. Confronte seu inimigo espiritual com uma ação espiritual. Mude seu pensamento e seu modo de falar. Comece, propositadamente, a pensar e a dizer somente coisas boas a respeito de si mesmo. Faça uma lista de suas melhores qualidades e o que a Palavra diz a seu respeito, bem como confesse isso várias vezes ao dia.

Medite nas verdades da Palavra de Deus tal como: "Por nossa causa Ele fez Jesus Cristo [virtualmente] tornar-se pecado, Aquele que não conheceu pecado, para que nele e através dele nós pudéssemos nos tornar [ser dotados de, visto como sendo, e exemplos da] justiça de Deus [o que nós devemos ser, aprovados e aceitáveis e em correto relacionamento com Ele, pela sua bondade]" (2 Coríntios 5.21); e, então, diga: "Eu sou a justiça de Deus em Cristo".

Diga em voz alta: "Deus me ama" quando você ler, "porque Deus tão grandemente amou e carinhosamente valorizou o mundo que Ele [mesmo] deu o Seu Filho Unigênito (Único), para que aquele que nele crê (acredita, se apega, confia), não pereça (venha à destruição, se perca), mas tenha a vida eterna (duradoura)" (João 3.16).

Leia Romanos 12.6-8: "Tendo dons (faculdade, talentos, qualidades) que diferem de acordo com a graça que nos foi dada, vamos usá-los: [Aquele cujo dom é] profecia (que profetize) de acordo com a proporção na sua fé; [aquele cujo dom é] serviço prático, que dedique-se a servir; aquele que ensina, que ensine; aquele que exorta (encoraja), que encoraje; aquele que contribui, faça-o em simplicidade e liberalidade; aquele que dá ajuda e administra, faça-o com zelo e honestidade; aquele que age com misericórdia, faça-o com genuína alegria e vivacidade"; e, então confesse: "Tenho dons e habilidades que Deus me deu".

Pondere em seu coração nas palavras do Senhor quando Ele diz: "Visto que foste precioso aos meus olhos, digno de honra, e eu te amei, darei homens por ti e os povos, pela tua vida." (Isaías 43.4-ARA). Regozije-se enquanto admite: "Eu sou precioso e valioso para Deus".

Busque a Palavra de Deus para outras confissões positivas sobre si mesmo.

Outra atitude sábia é passar por um exame médico para observar a possibilidade de alguma condição física que possa afetar seu estado mental e emocional. A menos que sua depressão seja causada por um problema de saúde, ela pode, geralmente, ser gerada por pensamentos e palavras negativas. Mesmo quando a depressão é causada por uma condição física (desequilíbrio hormonal, químico, etc.), o diabo tentará tirar vantagem da situação. Ele oferecerá muitos pensamentos negativos, os quais, se recebidos e meditados a respeito, somente tornarão o problema muitas vezes pior do que realmente é.

Repito: quando você se sente deprimido, cheque seu pensamento. Não é a vontade de Deus que você esteja deprimido. Alimente seus pensamentos com a Palavra de Deus. Isaías 61.3 diz que o Senhor nos deu "veste [expressiva] de louvor, em vez de espírito enfraquecido, oprimido e abatido". Neemias diz: "A alegria do Senhor é a sua força e fortaleza" (Neemias 8.10). Creia no que a Palavra de Deus diz a seu respeito e, assim, você se tornará. Creia no que diabo o diz e assim você se tornará. A escolha é sua: "escolhe, pois, a vida, para que vivas, tu e a tua descendência," (Deuteronômio 30.19-ARA).

11

Auto-Rejeição ou Auto-Aceitação

A VERGONHA CAUSA AUTO-REJEIÇÃO e, em algumas situações, a auto-aversão. Em casos mais extremos, isso pode até mesmo devolver o auto-abuso, incluindo a automutilação. Tenho ministrado a várias pessoas que me mostram cicatrizes no corpo por terem se cortado ou se queimado ou mordido a si mesmas, assim como hematomas por terem batido ou ferido a si mesmas, e partes calvas na cabeça por terem arrancado o próprio cabelo.

Algumas pessoas se ferem como uma forma de punição. Outras se comportam de maneira detestável porque dessa forma serão rejeitadas. Já que elas rejeitam a si mesmas, estão convencidas de que outros também as rejeitarão, e assim elas manifestam um comportamento de acordo com aquilo que pensam a respeito delas. A lista de problemas em potencial é interminável, mas estou certa de que você está vendo onde quero chegar.

Você não conseguirá ir além da sua própria opinião a respeito de si mesmo, não importa quantas coisas boas Deus possa dizer a seu respeito em Sua Palavra. A despeito dos maravilhosos planos que Deus possa ter para sua vida, nenhum deles virá a se concretizar sem sua cooperação.

Você precisa acreditar no que Deus diz.

Aceite a Opinião de Deus a Seu Respeito

Se você está buscando recuperar-se do abuso, então não deve permitir que as opiniões das outras pessoas a seu respeito, evidenciadas na maneira pela qual você foi maltratado no passado, determinem seu valor. Lembre-se: pessoas que se sentem sem valor sempre tentarão encontrar alguma coisa errada em você para que possam se sentir um pouco melhor sobre si mesmas. Tenha em mente que isso é um problema delas, e não seu.

Em João 3.18, o Senhor Jesus declara que aquele que crê nele nunca será rejeitado por Ele ou por seu Pai Celestial. Se Deus o aceita por causa da sua fé em Seu Filho Jesus Cristo, então você pode parar de rejeitar a si mesmo e deixar seu processo de cura prosseguir.

Pode ser que você não tenha rejeitado a si mesmo totalmente, mas somente algumas partes que não lhe agradam. Em meu próprio caso, eu rejeitava minha personalidade. Eu não compreendia que eu tinha um chamado divino em minha vida para o ministério em tempo integral e que Deus escolheu meu modo de ser para aquilo que Ele designara para minha vida.

Minha personalidade certamente tinha falhas por causa dos anos de abuso. Eu tinha sofrido, e havia a necessidade de ajustes do Espírito Santo, mas ainda era a personalidade que Deus havia escolhido para mim. Contudo, por não compreender esse fato, eu pensava que precisava ser alguém totalmente diferente. Estava sempre tentando ser outra pessoa, o que não era a vontade de Deus para mim, assim como não é a vontade dEle que você se torne outra pessoa.

Lembre-se: Deus ajudará você a ser tudo o que *você* pode ser, tudo o que você foi originalmente designado a ser, mas Ele nunca permitirá que você seja bem-sucedido em se tornar outra pessoa.

O Temperamento Controlado pelo Espírito

Talvez você tenha observado alguma outra pessoa, um amigo ou líder espiritual e pensado: *É assim que as pessoas* deveriam *ser*; ou *Ela é amada e aceita por* todos. Você pode até ter tentado ser como outro indivíduo sem conscientemente ter planejado isso.

Certamente, as pessoas podem ser bons exemplos para nós, mas, mesmo se seguirmos suas boas qualidades, ainda será o nosso próprio "toque" pessoal dessas boas qualidades que nos caracterizarão.

Tenho uma personalidade direta, resoluta, decidida. Deus colocou em mim esse tipo de natureza para me ajudar a cumprir o seu chamado em minha vida. Contudo, por muitos, muitos anos, eu lutava e vivia em frustração porque vivia tentando ser mais tímida, meiga, suave, gentil e doce. Eu tentava, desesperadamente, não ser tão positiva e agressiva.

A verdade é que eu tentava em vão me moldar na esposa do meu pastor, no meu marido e em vários amigos que eu respeitava e admirava. Meus esforços somente resultaram em frustração crescente, o que tornava mais difícil eu prosseguir. Eu precisava aprender a desistir de tentar ser como os outros e simplesmente me tornar "o melhor que *eu* poderia ser". Sim, eu precisei mudar. Precisei mais do fruto do Espírito, especialmente da bondade, da mansidão, da benignidade, porque eu era muito dura, áspera e severa. Mas, uma vez que aprendi a aceitar o temperamento que Deus me deu, pude permitir que o Espírito Santo começasse a me transformar naquilo que Ele queria que eu fosse.

Uma vez que desistimos de lutar para sermos outra pessoa, então o Espírito será capaz de usar nossos pontos fortes e controlar nossas fraquezas. Então, começaremos a desenvolver um "temperamento controlado pelo Espírito". Esse temperamento é explicado em Gálatas 5.22-25:

> Mas o fruto do Espírito [Santo] [a obra que sua presença realiza em nosso interior] é amor, alegria (satisfação), paz, paciência (um temperamento calmo, clemência), bondade, benignidade (benevolência), fidelidade.
>
> Gentileza (mansidão, humildade), autocontrole (autolimitação, continência). Contra tais coisas não há lei (que possa trazer acusação).
>
> E aqueles que pertencem a Cristo Jesus (o Messias) tem crucificado a carne (a natureza humana impiedosa) com suas paixões, apetites e desejos.
>
> Se nós vivemos pelo Espírito (Santo), vamos também caminhar pelo Espírito. [se pelo Espírito Santo nós temos nossa vida em Deus, vamos seguir em frente caminhando nessa linha, com nossa conduta controlada pelo Espírito].

Muitos se passaram, até que finalmente aprendi que teria de aceitar e amar a mim mesma e parar de me odiar ou de me rejeitar. Descobri o segredo de desenvolver um temperamento controlado pelo Espírito. A chave é gastar tempo pessoal de qualidade com o Senhor e receber a ajuda dEle continuamente.

Fortalecidos no Homem Interior

Ainda tenho fraquezas em meu ser natural; contudo, à medida que permaneço no Senhor, buscando-o em primeiro lugar, Ele continuamente me transfere o poder de que preciso para manifestar meus pontos fortes, e não minhas fraquezas.

O apóstolo Paulo orou para que os crentes fossem fortalecidos "em seu homem interior", para que o Espírito Santo habitasse em sua personalidade e em seu ser interior:

> Possa Ele conceder a vocês das riquezas de sua glória para que sejam fortalecidos e revigorados com forte poder em seu homem interior pelo Espírito [Santo] [Ele mesmo habitando em seu interior e personalidade].
>
> Que Cristo possa através da fé de vocês [realmente] habitar (estabelecer-se, permanecer, fazer Sua morada permanente) em seus corações! Que vocês possam estar profundamente arraigados e fundamentados seguramente em amor, para que tenham o poder e sejam fortes para compreender e apreender com todos os santos [pessoas devotadas a Deus, a experiência desse amor], qual é a largura, o comprimento, a altura, e a profundidade [desse amor].
>
> [Que vocês possam realmente vir a] conhecer [de forma pratica, experimentado-o por si mesmos] o amor de Cristo, que excede o mero conhecimento [sem experiência], para que sejam cheios [em todo o seu ser] da plenitude de Deus [para que tenham a mais rica medida da Presença divina, e se tornem um corpo plenamente cheio e transbordante do próprio Deus] (Efésios 3.16-19).

Esta é a nossa grande necessidade: sermos fortalecidos em nosso "homem interior" pela presença do próprio Deus. Deus disse a Paulo: Minha graça (meu favor e amorosa bondade e misericórdia) é suficiente para você [suficiente contra qualquer perigo, capacitando você a suportar o problema de forma corajosa]; pois a minha força e poder se tornam perfeitos (plenos e completos) e *mostram-se mesmo mais efetivos* em [sua] fraqueza" (2 Coríntios 12.9).

A força de Deus se aperfeiçoa em nossa fraqueza. Isso significa que quando somos fracos em certa área, não temos de nos odiar ou de nos rejeitar por causa disso. Como Paulo, temos o grande privilégio de admitir nossa fraqueza e pedir ao Espírito Santo que a controle.

Em minha carne, ainda tenho uma tendência a ser dura, rude e áspera. Pela graça, pela força e pelo poder do Senhor, contudo, sou capaz de manifestar "o fruto do Espírito" e ser amável, agradável, compreensiva e longânima.

Isso não significa que eu nunca falho. Como qualquer ser humano, cometo deslizes e erros. Mas compreendi que não tenho de ser perfeita para receber aceitação, amor e ajuda do Senhor. Nem você.

Deus é *por* você! Ele quer *você* para ser por *você*. O diabo é contra *você*, ele quer *você* para ser contra *você*.

Você é a favor ou contra si mesmo? Você está cooperando com o plano de Deus ou com o plano do diabo para sua vida? Você está de acordo com Deus ou com o inimigo?

Eleitos no Amado

Deus nos escolheu como Seus filhos amados e adotivos, separando-nos para sermos dEle:

> Assim como [em Seu amor] Ele nos escolheu [realmente nos separou para si mesmo como Seu povo próprio] em Cristo antes da fundação do mundo, para que nós sejamos santos (consagrados e separados para Ele) e irrepreensíveis em sua presença, bem acima da reprovação, diante dele em amor.
>
> Pois Ele nos pré-ordenou (nos destinou, planejou em amor para nós) ser adotados (revelados) como Seus próprios filhos através de Jesus Cristo, em concordância com o propósito da sua vontade [porque isso agradou a Ele e foi Seu terno intento]
>
> [Assim para que nós possamos ser] para o louvor e exaltação da sua gloriosa graça (favor e misericórdia), a qual Ele tão livremente derramou sobre nós no Amado (Efésios 1.4-6).

Em Êxodo 19.5, o Senhor diz a Seu povo que eles são Seu "tesouro e possessão peculiar". Essa palavra se aplica a nós hoje tanto quanto aos filhos de Israel naquela época. Em João 3.18, Jesus disse a Nicodemos que ninguém que crê nEle será mesmo condenado (rejeitado). Você pode não se sentir valorizado ou mesmo aceitável, mas você é. Em Efésios 1.6, Paulo diz que todos nós que cremos em Cristo temos sido "aceitos no Amado". Isso deveria nos dar um senso de valor pessoal e dignidade.

Lembro-me de estar numa fila de oração onde pude ouvir uma mulher dizer ao pastor quanto ela odiava e desprezava a si mesma. O pastor tornou-se bastante firme com ela e, rispidamente, repreendeu-a dizendo: "Quem você pensa que é? Você não tem o direito de odiar-se. Deus pagou um alto preço por você e por sua liberdade. Ele a amou tanto que enviou Seu único Filho para morrer por você... para sofrer em seu lugar. Você não tem o direito de odiar ou rejeitar a si mesma. Sua parte é receber o que Jesus morreu para lhe dar"!

A mulher ficou chocada. Fiquei chocada também, apenas ouvindo. Contudo, algumas vezes é uma palavra dura necessária para nos levar a perceber a armadilha que Satanás coloca diante de nós.

A auto-rejeição pode até mesmo parecer piedosa em certo sentido, podendo se tornar uma maneira de autopunição por nossos erros, falhas e inabilidade. Como os seres humanos não conseguem ser perfeitos, algumas pessoas terminam por rejeitar e desprezar a si mesmas.

Peço-lhe que pense nas palavras proféticas de Isaías 53.3 que descrevem nosso Senhor Jesus Cristo: "Era desprezado e o mais rejeitado e abandonado entre os homens; homem de dores e sofrimentos e que sabe o que é padecer e estar enfermo; e, como um de quem os homens escondem o rosto, era desprezado, e dele não fizemos caso, nem lhe demos importância".

Você não tem apreço por seu próprio valor e dignidade? Mas, certamente, você é valioso, pois de outra forma o Pai Celestial não teria pago um preço tão alto por sua redenção.

Isaías 53.4-5 continua a dizer que Cristo carregou nosso sofrimento (enfermidades, fraquezas e angústias) e carregou nossas dores e tormentos [da punição], contudo, nós [de forma ignorante] consideramo-lo ferido, castigado e afligido por Deus [como se fosse um leproso]. Mas Ele foi ferido por nossas transgressões, Ele foi esmagado por nossa culpa e por nossas iniqüidades; o castigo [necessário] para a nossa paz e bem-estar estava sobre ele, e por suas feridas [que o machucaram] nós somos curados e sarados.

O "pacote de cura" comprado por Jesus com Seu sangue é disponível para todo aquele que nEle crê e O recebe. Esse pacote inclui a cura das emoções, assim como do corpo. Se uma pessoa fez algo errado, a justiça exige a rejeição, o desprezo e a condenação. Contudo, Jesus carregou tudo isso por nós, assim como também os nossos pecados. Que verdade gloriosa!

Já que Jesus carregou seus pecados na Cruz, junto com o ódio, rejeição e condenação que eles mereciam, você não tem mais de rejeitar nem odiar a si mesmo.

O dia em que iniciei nosso ministério, perguntei a Deus: "O que o Senhor quer que eu ensine no primeiro encontro"?

Ele disse: "Quero que você diga a meu povo que os amo".

Argumentei: "Oh, eu quero uma mensagem de poder". Eu queria ser a mulher de poder do momento! Eu queria algo que surpreendesse as pessoas com uma grande revelação. Eu disse: "Todos sabem que o Senhor os ama. Eu não vou pregar João 3.16".

Ele disse: "Não, poucas pessoas entre meu povo sabem que Eu as amo. Se todas soubessem, elas agiriam de forma totalmente diferente da forma que agem".

A Bíblia diz: "Não há medo no amor [temor não existe], mas o pleno (completo, perfeito), amor lança fora pelas portas e expele todo vestígio de terror! Pois o medo traz consigo o pensamento de punição, e [assim] aquele que teme não alcançou plena maturidade no amor [ele ainda não cresceu até a completa perfeição do amor]. Nós O amamos, porque Ele nos amou primeiro" (1 João 4.18-19). Compreendi que se o povo de Deus soubesse o quanto Ele o ama, não teria medo. Se o povo de Deus conhecesse o amor de Deus, não correria *dEle*, mas, sim, *para Ele*.

Assim, depois de um ano daquele primeiro ensino, meditei no amor de Deus. Eu dirigia meu carro dizendo: "Deus me *ama*. Deus *me* ama. Ele *me* ama. O Criador do Universo *me* ama". O primeiro livro que escrevi, *Diga a Eles Que Os Amo*, foi o resultado de passar esse ano enfocando o amor de Deus.

Uma vez que você compreende que Deus o ama, você pode amar a si mesmo de forma equilibrada. Olhe-se no espelho e diga: "Deus me ama". Aceite-se e diga a si mesmo freqüentemente: "Eu me aceito".

Após dizer "amarás, pois, o Senhor, teu Deus", Jesus acrescentou: "Amarás o teu próximo como a ti mesmo. Não há outro mandamento maior do que estes" (Marcos 12.30-31-ARA). Se você não pode amar a si mesmo, encontrará dificuldade para amar qualquer outra pessoa. Deixe o amor curador de Deus fazer uma obra em sua vida.

Dê um abraço a si mesmo algumas vezes, simplesmente lembrando-se de que Deus o ama e, portanto, você é amável. Envolva-se num abraço e diga: "Não me rejeitarei nunca mais! Pelo contrário, eu me aceitarei em Cristo. Amo a mim mesmo, não de forma egoísta, mas de forma equilibrada. Não sou perfeito, mas, com a ajuda do Senhor, estou melhorando cada dia".

E Quanto à Rejeição Vinda dos Outros?

Muito comumente, mais cedo ou mais tarde, você experimentará alguma forma de rejeição. Nem todos gostarão de você. Algumas pessoas podem mesmo, ofendê-lo agressivamente. É extremamente proveitoso que você desenvolva uma atitude madura nessa área.

Sabemos que Jesus cresceu em sabedoria, estatura e em graça diante de Deus e dos homens (veja Lucas 2.52). E, no meu próprio caso, peço a Deus que me conceda graça diante dEle e das pessoas, e creio que Ele tem feito isso. Sugiro-lhe que faça o mesmo. Aqui está uma oração para ajudá-lo a conseguir uma atitude aceitável:

Hoje, Senhor, eu farei o meu melhor, com Sua ajuda e para Sua glória. Percebo que há muitas pessoas diferentes no mundo com uma variedade de opiniões e expectativas. Provavelmente, não agradarei a todos o tempo todo. Eu me concentrarei em ser alguém que agrade a Deus e não a mim mesma ou aos homens. O resto deixo em Suas mãos, Senhor. Conceda-me favor diante do Senhor e diante dos homens e continue a me transformar na imagem do Seu querido Filho. Obrigado, Senhor.

Ninguém gosta de ser rejeitado, mas podemos aprender a lidar com a rejeição e prosseguir com nossa vida se nos lembramos de que Jesus também foi rejeitado e desprezado. Ele obteve vitória sobre a rejeição ao ser fiel ao plano de Deus para a vida dEle.

A rejeição de outras pessoas fere nossas emoções. Isso certamente dói, e, contudo, para o nosso próprio bem, devemos nos lembrar de que, se nascemos de novo, o Ajudador (o Espírito Santo) vive em nós para nos fortalecer, proteger e confortar.

Creio que gastamos tempo e energia valiosos tentando evitar ser rejeitados. Nós nos tornamos "pessoas que buscam agradar aos homens" (Efésios 6.6; Colossenses 3.22), pois raciocinamos que, se pudermos manter todos felizes, eles não nos rejeitarão.

Para evitar a dor, alguns cristãos edificam muros ao redor de si mesmos para não serem feridos, mas isso é inútil. Deus tem me mostrado que é impossível viver neste mundo se não desejamos ser feridos. As pessoas não são perfeitas, portanto elas nos ferem e nos desapontam, assim como também ferimos e desapontamos os outros.

Tenho um marido maravilhoso, mas ocasionalmente ele me fere. Porque venho de um passado doloroso, no momento em que esse tipo de coisa acontecia, eu costumava construir muros ao meu redor para me proteger. Afinal, eu raciocinava, *ninguém poderá me ferir se eu não deixá-lo se aproximar*. Contudo, aprendi que, se mantiver os outros do lado de fora, permanecerei isolada do lado de dentro.

O Senhor tem me mostrado que Ele quer ser meu Protetor, mas Ele não pode fazê-lo se eu estiver ocupada tentando me proteger. Ele não prometeu que eu *nunca* seria ferida, mas Ele prometeu curar-me se eu for a Ele em vez de tentar tomar conta de tudo sozinha.

Se você edificou muros ao redor de si mesmo por causa do medo, então você deve derrubá-los pela fé. Vá a Jesus com cada velha ferida e receba sua graça curadora. Quando alguém ferir você, leve essa nova ferida a Jesus. Não a deixe inflamar. Leve-a ao Senhor e deseje lidar com a situação da maneira dEle e não da sua.

Receba este versículo como uma promessa pessoal do Senhor para você: "Porque te restaurarei a saúde e curarei as tuas chagas, diz o Senhor; pois te chamaram a repudiada, dizendo: É Sião, já ninguém pergunta por ela"! (Jeremias 30.17-ARA).

Confesse como o salmista: "Porque, se meu pai e minha mãe me desampararem, o Senhor me acolherá (adotando-me como Seu filho]" (Salmos 27.10).

Com a ajuda do Senhor, você poderá sobreviver à rejeição e encontrar sua plenitude "nEle".

12

O Efeito da Rejeição nos Relacionamentos

UMA PESSOA QUE tem uma raiz de rejeição em sua vida tem dificuldades em seus relacionamentos. Com o objetivo de manter relacionamentos saudáveis, amorosos e duradouros, uma pessoa não pode ter medo da rejeição. Quando esse medo se torna o fator motivador na vida de um indivíduo, ele gastará todo o seu tempo tentando evitar a rejeição em vez de edificar relacionamentos saudáveis.

Nenhuma pessoa atravessa a vida escapando totalmente de momentos de rejeição. Todos experimentam algum tipo de rejeição. Contudo, caso haja rejeição bastante para causar feridas, isso pode levar o indivíduo a não somente a agir de forma anormal em seu relacionamento com outros, mas também em seu relacionamento com Deus.

Ele pode vir a acreditar que é amado *condicionalmente*. Sentindo que tem de merecer o amor das pessoas, ele pode devotar sua vida em tentar agradar aos outros. Ele pode temer que, caso não agrade aos outros, eles deixarão de amá-lo, ou o rejeitarão, ou até o abandonarão.

A lembrança do sofrimento de tais experiências freqüentemente impede a liberdade da pessoa em seus relacionamentos. As pessoas que têm medo da rejeição e do conseqüente abandono e solidão, geralmente, terminam permitindo a si mesmas serem controladas e manipuladas pelos outros. Já que elas acreditam que a aceitação é baseada em seu desempenho, tais pessoas são consumidas em *fazer* em vez de *ser*. Porque elas têm medo de ser simplesmente elas mesmas, gastam a vida fingindo: fingindo gostar de pessoas que elas detestam, fingindo gostar de ir a lugares e fazer coisas que elas odeiam, fingindo que tudo está bem quando não está. Tais pessoas vivem em contínua miséria porque temem ser honestas o suficiente para confrontar as verdadeiras questões da vida.

Fingindo! Fingindo! Fingindo!

Já que as pessoas que temem a rejeição não acreditam que são amáveis em si mesmas, freqüentemente elas usarão os padrões do mundo (dinheiro, *status*, roupas, talentos naturais, etc.) para provar a si mesmas e aos outros que elas têm valor. Elas vivem uma vida de miséria, sempre tentando provar que são dignas e valiosas. Não importa quanto sucesso exterior uma pessoa possa desfrutar, ela não será verdadeiramente bem-sucedida se não souber quem ela é em Cristo. Em Filipenses 3.3, Paulo nos exorta: "Exultemos e gloriemos e nos vangloriemos em Jesus Cristo, não colocando confiança ou dependência [naquilo que somos] na carne e nos privilégios exteriores, vantagens físicas e aparência externa". É importante lembrar que a aparência é somente a nossa forma exterior, e não o que realmente somos.

Uma pessoa fundamentada na rejeição é incapaz de receber amor, mesmo quando o amor lhe está sendo livremente oferecido. Tal pessoa aceita o amor somente quando acredita que o mereceu por ter se comportado de maneira perfeita.

Lembro-me de uma mulher que certa vez trabalhou para meu marido e para mim. Ela cresceu numa atmosfera em que o "merecimento-gera-aceitação". Quando ela ia bem na escola, ele demonstrava-lhe amor; quando ela não ia tão bem como seu pai esperava, negava-lhe amor. Ele se comportava assim não somente com ela, mas também com todos os outros membros da família; portanto, ela aprendeu que o amor era dado como uma recompensa pelo desempenho perfeito e retirado como uma punição pelos erros.

Como a maioria das pessoas, ela cresceu nem mesmo percebendo que seus sentimentos e seu sistema de crença estavam incorretos. Ela assumiu que todos os relacionamentos eram conduzidos dessa mesma forma. Como ela era uma funcionária de nosso ministério, havia ocasiões em que eu lhe perguntava como estava indo seu trabalho, se ela estava conseguindo realizar tudo ou se havia alguma tarefa que ela tinha dificuldades em cumprir.

Comecei a notar que se eu lhe perguntava sobre algo que ela não havia terminado isso a fazia agir de maneira muito estranha. Ela se afastava, evitava falar comigo e mostrava-se trabalhando num ritmo frenético, o que me fazia sentir desconfortável. Realmente, *eu me sentia rejeitada.*

Eu sabia que, como sua chefe, eu tinha o direito de perguntar-lhe ela sobre o andamento do trabalho sem ter de sofrer um trauma cada vez que isso acontecia. Então, finalmente a confrontei sobre essa situação, o que só fez nosso relacionamento tornar-se mais estremecido e confuso. Era óbvio que nenhuma de nós realmente compreendia a raiz do problema.

Essa mulher verdadeiramente amava ao Senhor. Ela era intensamente séria no seu relacionamento com Deus, e assim a situação a fez orar e buscar ao Senhor por algumas respostas sobre seu comportamento. Muito freqüentemente, jogamos a culpa do nosso mau comportamento em outra pessoa em vez de buscar o Senhor para perceber a raiz do problema e, assim, sermos livres.

A mulher recebeu uma revelação de Deus que lhe mudou a vida. O Senhor lhe mostrou que pelo fato de seu pai rejeitá-la quando ela não agia de forma perfeita, isso a fez crer erroneamente que todas as demais pessoas agiam dessa mesma forma. Se algo do seu trabalho não estava completamente terminado quando eu lhe perguntava a respeito, ela estava convencida de que seria rejeitada porque eu não mais a apreciaria e, portanto, se afastava de mim. *Eu não tinha parado de amá-la, mas ela tinha parado de receber o meu amor*, e assim eu acabava me sentindo rejeitada também.

Freqüentemente fazemos a mesma coisa com o Senhor. Seu amor por nós não é baseado naquilo que fazemos ou não fazemos. Em Romanos 5.8, Paulo nos diz que Deus nos amou quando ainda éramos pecadores; isto é, quando nós ainda não O conhecíamos e nem queríamos conhecê-Lo.

O amor de Deus está *sempre* fluindo para todos aqueles que o recebem. Como essa funcionária que não podia receber o meu amor, freqüentemente rejeitamos o amor de Deus quando sentimos que não o merecemos porque o nosso desempenho não foi tão perfeito.

O Medo de Ser Rejeitado Causa Rejeição em Outros

Se você não acreditar que é uma pessoa amável e valiosa em sua essência, você será incapaz de confiar quando outros lhe expressarem amor. Se você acreditar que precisa ser perfeito para ser digno de amor e aceitação, então você será um candidato a uma vida miserável, porque nunca será perfeito o bastante enquanto estiver neste corpo terreno.

Você pode ter um coração perfeito, no qual o seu desejo é agradar a Deus em todas as coisas, mas seu desempenho não acompanhará o desejo do seu coração até você chegar ao céu. Você pode estar melhorando o tempo todo e mantendo-se em direção ao alvo da perfeição, *mas sempre precisará de Jesus enquanto estiver aqui nesta terra.* Nunca chegará o momento em que você não precisará do perdão e do sangue purificador do Senhor.

A menos que você aceite seu valor e dignidade pela fé, por intermédio de Cristo, você sempre se sentirá inseguro e incapaz de confiar naqueles que querem amá-lo. As pessoas que não têm capacidade de confiar suspeitam das motivações das outras. Sei disso porque tinha um problema real nessa área. Mesmo quando outras pessoas me diziam que me amavam, eu sempre esperava que elas me ferissem, ou me desapontassem, ou falhassem comigo, ou abusassem de mim. Eu imaginava que elas deveriam estar buscando alguma coisa; ou, de outra forma, elas não seriam agradáveis comigo. Eu apenas não podia acreditar que alguém quisesse gostar de mim apenas pelo que eu era. Deveria haver alguma outra razão escondida!

Sentia-me tão mal a respeito de mim mesma, tão envergonhada, condenada, com tanta auto-aversão e auto-rejeição que se alguém tentava mostrar-me amor e aceitação eu pensava: *Bem, se essa pessoa gosta de mim agora, ela não gostará mais ao me conhecer de verdade*. Portanto, eu não *recebia* o amor de outras pessoas ou de Deus. Afastava-me por meio do meu comportamento, o qual se tornava mais e mais detestável à medida que eu tentava provar a todos que eu não era merecedora do amor deles, exatamente como eu pensava.

Seja o que for que você acredite sobre si mesmo interiormente é o que você manifestará exteriormente. Se você se sente indigno de amor, é isso que você demonstrará por meio de seu comportamento. Em meu caso, eu cria que não era digna de amor, e assim agia. Eu era uma pessoa muito difícil de lidar. Cria que as outras pessoas, mais cedo ou mais tarde, me rejeitariam, e assim geralmente faziam. Pelo fato de minha atitude se manifestar por intermédio das minhas ações, eu não conseguia manter relacionamentos saudáveis, amorosos e duradouros.

A Síndrome do "Prove-que-você-me-ama"

Quando alguém tentava me amar, eu exercia grande pressão sobre essa pessoa para que ela provasse que me amava... continuamente! Eu precisava de uma nova dose de aceitação, cada dia, apenas para manter um bom sentimento a respeito de mim mesma. Eu tinha constantemente de ser elogiada sobre tudo o que fazia; pois, de outra forma, não me sentia amada. Se não recebesse o elogio esperado, sentia-me rejeitada.

Eu também tinha de fazer todas as coisas do meu próprio jeito. Sempre que outros concordavam comigo e faziam o que eu desejava, sentia-me bem a respeito de mim mesma. Contudo, se alguém discordasse de mim ou negasse os meus pedidos, por mais simples que fossem, isso causava uma reação emocional que me fazia sentir-me rejeitada e não amada.

Eu colocava exigências impossíveis sobre as pessoas que me amavam e, assim, as frustrava. Eu não estava satisfeita com aquilo que elas me davam. Não podia permitir que elas fossem honestas comigo ou me confrontassem. O meu foco estava somente em mim, e eu esperava que o foco de todos também estivesse. Eu realmente buscava nas pessoas o meu senso de valor próprio, o que é algo que somente Deus pode dar.

Já aprendi que meu senso de dignidade e valor estão em Cristo, e não em coisas ou outras pessoas. Até que eu aprendesse essa verdade, contudo, fui muito infeliz e totalmente incapaz de manter relacionamentos saudáveis.

Receber o amor de Deus é o fator-chave na cura emocional, como mencionei no capítulo anterior. Uma vez que uma pessoa genuinamente venha a crer que Deus, que é perfeito, a ama em sua imperfeição, ela começará a crer que outras pessoas podem amá-la também. A confiança começa a ser desenvolvida, e ela é capaz de aceitar o amor que lhe está sendo oferecido.

Já que cri e recebi o amor de Deus por mim, minhas necessidades básicas por amor e um senso de valor próprio foram supridos. Eu não mais necessitava de outras pessoas para permanecer "bem" todo o tempo, isto é, sentindo-me segura sobre mim mesma. Como todos, tenho necessidades que outras pessoas têm de satisfazer; todos nós precisamos de encorajamento, exortação e edificação. Mas não sinto mais necessidade de buscar por intermédio de outras pessoas a afirmação do meu valor.

Agora quando meu marido falha em elogiar-me por algo que fiz, posso ficar desapontada, mas não abalada, porque sei que tenho valor a despeito do que faço. Todos gostam de ser reconhecidos e elogiados pelo que fazem, mas é maravilhoso não ficarmos abalados se não recebermos reconhecimento e tais cumprimentos!

Uma vez que aprendi que o valor e a dignidade não estão naquilo que faço, mas naquilo que sou em Cristo, não mais sinto que tenho de fazer as coisas para buscar a aceitação das pessoas. Decidi que ou elas me amarão pelo que eu sou, ou não. De qualquer forma, estou segura sabendo que Deus ainda me ama.

É importante ser amado por aquilo que somos e não por aquilo que fazemos. Quando sabemos que temos valor em nossa identidade, e não em nosso desempenho ou comportamento, somos capazes de proteger nossa mente contra a preocupação daquilo que as pessoas estão pensando a nosso respeito. Podemos nos concentrar nas pessoas e em suas necessidades em vez de esperar que o foco delas esteja continuamente em nós e em nossas necessidades. Essa é a base para relacionamentos saudáveis, amorosos e duradouros.

13

Confiança para Ser Você Mesmo

A CONFIANÇA É definida como um tipo de segurança que leva alguém a realizar algo; a crença de que alguém é capaz e aceitável; a certeza que leva alguém a ser corajoso, aberto e transparente. Se você observar essa definição tríplice, perceberá por que o diabo ataca alguém que mostre algum grau de confiança.

Pessoas que foram abusadas, rejeitadas ou abandonadas geralmente sofrem por falta de confiança. Como já mencionamos, tais pessoas são fundamentadas na vergonha, guiadas pela culpa e possuem baixa auto-imagem.

O diabo começa seu ataque na confiança pessoal sempre que encontrar brecha, especialmente durante os vulneráveis anos da infância. Mesmo enquanto uma criança ainda está no ventre, o diabo inicia sua jornada rumo à total destruição daquela pessoa. A razão é simples: um indivíduo sem confiança nunca avançará para fazer algo edificante no Reino de Deus ou algo destruidor para o reino das trevas e, portanto, nunca cumprirá o plano de Deus para sua vida.

O Fracasso Esperado + o Medo de Fracassar = Fracasso

Satanás não quer que você cumpra o plano de Deus para sua vida porque sabe que você é parte da derrota das trevas. Se ele puder fazê-lo pensar e crer que é incapaz, então você nunca tentará realizar qualquer coisa digna de valor. Mesmo se você fizer algum esforço, seu medo de fracassar selará sua derrota, o que, em decorrência da sua falta de confiança, provavelmente, pode ter experimentado desde o início. Isso é freqüentemente referido como "síndrome do fracasso".

Não importa quantos planos maravilhosos Deus tenha em mente para você, há uma coisa que você deve saber: *a habilidade de Deus para cumprir a vontade dEle em sua vida é determinada pela sua fé nEle e em Sua Palavra.* Se você verdadeiramente quer ser feliz e bem-sucedido, então deve começar a crer que Deus tem um plano para sua vida e que fará coisas boas acontecerem quando você colocar sua confiança nEle.

O diabo quer que pensemos o pior a respeito de nós mesmos para que não tenhamos nenhuma confiança em nós. Mas aqui estão as boas novas: *não precisamos confiar em nós mesmos; precisamos confiar em Jesus!*

Tenho confiança em mim mesma somente porque sei que Cristo está em mim, sempre presente e pronto para me ajudar em qualquer coisa que tento fazer para Ele. Um crente sem confiança é como um Boeing estacionado numa pista sem nenhum combustível; parece bom por fora, mas não há poder no seu interior. Com Jesus vivendo em nós, temos poder para fazer o que nunca poderemos fazer sozinhos.

Jesus morreu por nossas fraquezas e inabilidades, e deseja nos transferir Sua força e Sua habilidade ao colocarmos nossa confiança (nossa fé) nEle. Em João 15.5, Ele nos ensina esse princípio importante: "Sem Mim [separados de uma vital união comigo], vocês nada podem fazer".

Uma vez que você aprender essa verdade, quando o diabo lhe disser "Você não pode fazer nada certo", sua resposta deve ser: "Talvez não, mas Jesus dentro de mim pode; e Ele o fará, porque confio nele, e não em mim mesmo. Ele me levará ao sucesso em tudo que eu colocar minhas mãos" (veja Josué 1.7).

Talvez o inimigo lhe diga: "Você não será capaz de fazer isso, mesmo que tente, porque apenas falhará novamente, como no passado". Mas sua resposta deve ser: "É verdade que sem Jesus eu não sou capaz de fazer absolutamente nada; mas, com Ele e nEle, posso fazer tudo que preciso fazer" (veja Filipenses 4.13).

Seja o que for que o diabo lembrar a você a respeito de seu passado, lembre-o a respeito do futuro dele. Se você ler a Bíblia do início ao fim, verá que o futuro de Satanás é terrível. Realmente, ele já é um inimigo derrotado. Está escrito em Colossenses 2.15: "e, [Deus] despojando os principados e as potestades, publicamente os expôs ao desprezo, *triunfando* deles na cruz (e em Cristo)" (grifo da autora).

Podemos resistir à tentação de Satanás de vivermos com medo e tristeza, pois Jesus triunfou sobre os planos dele e fez uma demonstração pública da sua derrota no reino espiritual. Satanás está operando temporariamente, e ele sabe disso melhor do que ninguém (veja Apocalipse 12.12). O único poder que ele tem para usar contra nós é o que lhe damos ao acreditarmos em suas mentiras.

Lembre-se sempre: *o diabo é um mentiroso!*

Sobre Satanás, Jesus disse: "Ele é um assassino desde o início e não permanece na verdade, porque não há verdade nele. Quando ele fala uma mentira, ele fala o que lhe é natural, pois ele é mentiroso e o pai das mentiras e de tudo o que é falso" (João 8.44).

A Mentira sobre a Autoconfiança

Todos falam sobre autoconfiança. Há todo tipo de seminário disponível sobre confiança, tanto no mundo secular quanto na igreja. A confiança é geralmente referida como "autoconfiança" porque todos sabem que precisamos nos sentir bem sobre nós mesmos se quisermos fazer qualquer coisa na vida. Temos sido ensinados que todas as pessoas têm uma necessidade básica de acreditar em si mesmas. Contudo, essa é uma concepção incorreta.

Na verdade, não precisamos acreditar em nós mesmos: precisamos acreditar em Jesus vivendo em nós. Não podemos ter a ousadia de nos sentirmos bem a nosso respeito sem Ele. Quando o apóstolo Paulo instruiu-nos para "não colocar nossa confiança na carne" (veja Colossenses 3.3), ele quis dizer exatamente isto: não coloque a confiança em si mesmo, como se houvesse algo que você pode fazer sem Jesus.

Não precisamos de autoconfiança; precisamos da confiança em Deus!

Muitas pessoas gastam a vida subindo a montanha do sucesso somente para descobrir, quando chegam ao topo, que estavam apoiadas na edificação errada. Outros lutam, tentando comportar-se bem o suficiente para desenvolver uma medida de confiança em si mesmos apenas para permanecerem repetindo as falhas. Ambas as atividades produzem os mesmos resultados: vazio e miséria.

Tenho descoberto que a maioria das pessoas falha numa dessas duas categorias: 1) elas nunca realizam nada, não importa quão duramente tentem, e, portanto. terminam odiando a si mesmas pela falta de realizações; ou 2) elas têm talento natural suficiente para fazer tais coisas, mas assumem todo o crédito por suas realizações, o que as enche de orgulho. De qualquer maneira, essas duas atitudes estão erradas aos olhos de Deus.

A única pessoa verdadeiramente bem-sucedida aos olhos de Deus é aquela que sabe que não é nada em si mesma, mas é tudo em Cristo. Nossa glória e nossa exaltação estão apenas em Cristo, e Ele merece toda a glória (o crédito devido) por qualquer coisa que possamos realizar.

Todas as pessoas têm confiança (fé). A Bíblia confirma esse fato em Romanos 12.3. Nascemos com uma medida de fé; mas o importante é onde nós a colocaremos. Alguns colocam sua fé em si mesmos ou em outras pessoas; outros a colocam em coisas; e, finalmente, existem àqueles que realmente colocam sua fé em Deus.

Não se preocupe consigo mesmo, com suas fraquezas ou habilidades. Tire os olhos de si mesmo e os coloque no Senhor. Se você é fraco, Ele pode fortalecê-lo. Se você tem alguma força, é porque Ele a deu a você. De qualquer forma, seus olhos devem estar nEle, e não em si mesmo.

Sem a verdadeira confiança (em Jesus), você criará muitos problemas complicados para si mesmo. Aqui está uma lista parcial:

- Você nunca alcançará seu pleno potencial em Cristo (como nós comentamos em detalhes).
- Sua vida será regida pelo medo e cheia de tormentos.
- Você nunca conhecerá a verdadeira alegria, plenitude ou satisfação.
- Você entristecerá o Espírito Santo, que é enviado para fazer o plano de Deus se cumprir em sua vida, mas que será incapaz de fazê-lo sem sua cooperação.
- Você abrirá para si mesmo muitas portas de tormentos sem fim: auto-aversão, condenação, medo da rejeição, medo do fracasso, medo do homem, perfeccionismo, busca do favor de homens (o que elimina a possibilidade de agradar exclusivamente a Deus), controle e manipulação dos outros, etc.
- Você perderá a visão do direito de ser um indivíduo e do direito de ser você mesmo.

Este último perigo é o que eu gostaria de examinar agora. Já temos abordado os outros de alguma forma na primeira parte deste livro, mas este último é da maior importância e merece grande consideração.

Confiança para Ser uma Pessoa

Em 1 Coríntios 3.16-17 e Romanos 12.4-6, Paulo ensina que formamos um corpo e cada qual é um membro individual desse corpo. Essa é uma verdade muito importante para nos apropriarmos dela porque nos tornamos miseráveis e sufocamos o poder de Deus em nós quando tentamos ser algo ou alguém que não fomos designados a ser.

Ouvimos, freqüentemente, que viemos de diferentes formações, o que significa que ninguém é exatamente igual. Não há nada de errado em ser diferente dos outros! Deus tem um propósito em ter nos criado de forma diferente. Se Ele quisesse que fôssemos exatamente iguais, facilmente nos teria feito dessa forma. Pelo contrário, nossa peculiaridade é tão importante para Deus que Ele chegou até ao extremo de dar a cada um de nós uma impressão digital diferente!

Ser diferente não é algo ruim, é plano de Deus!

Somos parte de um único plano – o plano de Deus. Contudo, cada um de nós tem uma função diferente, porque cada um de nós é um indivíduo.

Defino o termo *indivíduo* como ser separado, distinto por atributos específicos, com características identificadoras distintas ou exclusivas.

Eu me achei estranha durante muito tempo, mas agora sei que sou especial! Há uma grande diferença nisso. Se eu fosse estranha, isso seria uma indicação de que algo em mim está errado e não funciona da forma que deveria; enquanto ser uma pessoa especial indica que não há outros como eu e, portanto, tenho um valor exclusivo. Você deve acreditar que é um ser único, especial e precioso.

Não Tente Ser Outra Pessoa

Uma das minhas características exclusivas é minha voz. A maioria das mulheres tem voz fina e suave, mas a minha é grave e grossa. Freqüentemente, quando alguém que não me conhece telefona para nossa casa, pensa estar falando com o homem da casa. Nem sempre me senti confortável com essa característica em particular; na verdade, era bem insegura com relação a isso. Eu pensava que minha voz tinha algo de errado!

Quando Deus me chamou para ensinar a Palavra dEle, comecei a perceber que um dia teria de falar por meio de sistemas de som (microfone) e até mesmo do rádio e da televisão, e fiquei aterrorizada! Eu pensava que certamente seria rejeitada porque falava de forma bastante diferente da maneira que eu considerava certa para uma mulher. Eu estava me comparando com aquilo que eu considerava normal.

Você tem se comparado com outras pessoas? Como isso o faz sentir-se?

Não devemos nos comparar com os outros, mas deixar Jesus ser o nosso exemplo e aprender a refletir sobre presença e personalidade do Deus que habita em nós.

Um diamante tem muitas facetas. Deus é como um diamante sem defeito, e cada um de nós representa uma diferente faceta dEle. Ele tem colocado uma expressão de Si mesmo em cada um de nós, e coletivamente formamos o seu corpo. E se nossos corpos fossem totalmente feitos de bocas ou ouvidos, braços ou pernas? Não teríamos problemas para falar ou ouvir, carregar algo ou caminhar, mas e quanto às outras funções? Em que confusão estaríamos se fosse intenção de Deus tornar-nos exatamente iguais!

Por que tentamos tanto ser como outra pessoa em vez de simplesmente desfrutar aquilo que somos? Porque acreditamos nas mentiras do diabo. Acreditamos nele até ouvirmos a verdade da Palavra de Deus, e a verdade nos tornar livres.

A graça de Deus nunca estará disponível para que você se torne outra pessoa. Ele o criou para ser você, o melhor "Você" que pode ser! Esqueça sobre tentar ser alguma outra pessoa. Esse é sempre um erro, mesmo porque, geralmente, a pessoa que você elegeu como "perfeita" não é aquilo que você pensa. Vou lhe dar alguns exemplos:

Primeiro Exemplo

Em certo ponto da minha vida, decidi que a esposa do meu pastor era a "mulher ideal". Ela era (e ainda é) uma mulher graciosa: pequena, bonita, loira, com uma fala suave, gentil, meiga e capacitada com o dom da misericórdia. Eu, por outro lado, com minha voz grave e grossa, uma personalidade direta, não parecia muito doce, gentil, meiga ou misericordiosa. Eu tentava ser como ela, sem muito sucesso. Realmente tentava baixar o volume da minha voz e mudar o tom para algo mais "feminino", mas minha voz acabava soando como uma campainha de telefone.

Essa mulher e eu não conseguíamos nos relacionar muito bem. Embora quiséssemos e tentássemos ser amigas, isso parecia não funcionar. Finalmente, um confronto entre nós revelou que eu realmente não gostava dela porque sua presença me colocava sob pressão de ser como ela. A coisa realmente interessante que descobrimos é que Satanás tentava vender-lhe o mesmo pacote de mentiras que eu comprara: ela estava lutando para ser como eu! Ela estava tentando ser menos frágil e mais enérgica, lidar com as pessoas e coisas mais diretamente e com maior ousadia. Não era de admirar que não pudéssemos ter um relacionamento bem-sucedido, já que cada uma exercia pressão sobre a outra!

Lembre-se disto: Deus nos disse: "Não cobiçarás" (Êxodo 20.17), e isso inclui a personalidade de outras pessoas.

Segundo Exemplo

Minha vizinha do lado era uma jovem muito agradável e dotada de muitas maneiras. Ela plantava, tinha um jardim e fazia conservas, tocava guitarra e cantava, era habilidosa com vários tipos de trabalho artesanal e trabalhos manuais, papéis de parede, pintura, escrevia músicas – em resumo, todas as coisas que eu não podia fazer. Como eu me achava "estranha", não podia apreciar os talentos que eu mesma tinha. Pensava somente sobre as habilidades que me faltavam e sobre todas as coisas que não podia fazer.

Como fui chamada por Deus para ensinar e pregar a Palavra dEle, meus desejos eram diferentes daquelas outras mulheres que eu conhecia. Enquanto elas freqüentavam eventos de decoração de interiores, eu ficava em casa orando. Eu era muito séria sobre tudo. Parecia que havia algo muito errado dentro de mim. Enquanto as mulheres estavam relaxando e se divertindo, eu estava constantemente me comparando com elas, sempre sentindo que algo estava errado comigo. Esse tipo de sentimento ocorre quando as pessoas são firmadas na vergonha e inseguras sobre aquilo que elas são em Cristo.

Eu precisava aprender a "relaxar" um pouco e ter algum divertimento, mas naquela época Deus estava fazendo algo em mim que precisava ser realizado. Ele estava me levando a ver a confusão em que algumas pessoas vivem e chamando-me para ajudá-las a sair dessa confusão por intermédio da Palavra dEle. Eu precisava ser afetada pelo peso e pela seriedade dos problemas das outras pessoas.

Eu estava num período de espera durante o qual Deus não estava me usando; era um tempo de preparação, aprimoramento e crescimento que durou cerca de um ano inteiro. Durante aquele ano, decidi que era tempo de me tornar o que eu chamaria de "mulher normal". Comprei uma máquina de costura e fiz algumas aulas. Eu odiava aquilo, mas forcei-me a continuar. Costura não era algo no qual eu me destacava. Quando uma pessoa não é dotada numa área, ela simplesmente não será boa naquilo.

Costurar é um esforço imenso para mim! Constantemente cometia erros que me levavam a me sentir pior a meu respeito. Eu só consegui fazer algumas lições e costurar umas poucas roupas para minha família, as quais eles obedientemente usaram.

Na época, eu também decidi que deveria plantar tomates. Aquilo parecia começar bem, eles ficavam quase prontos para a colheita e, então, de repente, uma multidão de insetos os atacava durante a noite deixando grandes buracos em todos eles! Mas eu estava determinada a plantar tomates porque eu já comprara todo o equipamento de plantio. Assim, fui até a loja e comprei mais sementes! Trabalhei e suei, suei e trabalhei, até que, finalmente, obtive os tomates em conserva! Uma vez mais, odiei cada segundo que gastei fazendo aquilo, mas pensava que eu estava provando ser "normal".

Por meio dessas experiências, embora muito dolorosas, entendi que me sentia miserável porque Deus não me ajudaria a fazer algo que Ele não projetara para mim. Não devo ser outra pessoa, devo ser eu mesma, assim como você deve ser você mesmo.

Seja Você Mesmo!

Você tem o direito de ser você mesmo! Não deixe o diabo roubar seu direito!

Se alguém que você conhece é um exemplo de cristão ao manifestar o caráter do Senhor ou o fruto do Espírito Santo, você pode seguir o exemplo dEle. O apóstolo Paulo disse: "Imitem-me [sigam meu exemplo], como eu imito e sigo a Cristo (o Messias)" (1 Coríntios 11.1). Seguir o exemplo de uma pessoa é inteiramente diferente de tentar ser como essa pessoa em sua personalidade ou dons.

Eu o encorajo a pensar a este respeito: Você aceita o fato de não ser criado como qualquer outra pessoa e ser alguém único e especial? Você desfruta sua individualidade ou está em guerra contra si mesmo como eu estava?

Assim, muitas pessoas estão travando uma guerra interna, comparando-se com quase todos dos quais se aproximam, o que lhes faz julgar a si mesmas ou as outras pessoas. Elas concluem que ou devem ser como as outras pessoas, ou os outros devem ser como elas.

Mentira!

Nenhum de nós deve ser como qualquer outra pessoa. Cada um de nós deve ser a faceta que o Senhor pretende que seja, exclusiva e individual, para que nós, coletivamente, possamos cumprir o plano dEle e trazer-Lhe glória.

14

O Perdão Torna Você Livre para Viver Novamente

RECEBER E CONCEDER PERDÃO por erros e pecados passados são dois dos mais importantes fatores na cura emocional.

O perdão é um dom concedido para aqueles que não o merecem. Deus quer começar em nós esse processo de perdoar àqueles que nos feriram, primeiramente, concedendo-nos o dom do perdão. Quando Lhe confessamos nossos pecados, Ele nos perdoa, afastando nossos pecados de si, assim como o Oriente se afasta do Ocidente, e não se lembra nunca mais deles.

Quando você é tentado a olhar para trás, lembre-se das promessas das Escrituras:

> Se nós [livremente] admitimos que temos pecado e confessarmos nossos pecados, Ele é fiel e justo (verdadeiro em sua própria natureza e promessas) e perdoará os nossos pecados [descartará a nossa ilegalidade] e [continuamente] nos purificará de toda a injustiça [tudo o que não está em conformidade com a Sua vontade em propósito, pensamento e ações] (1 João 1.9).

Como o oriente se afasta do ocidente, assim Ele afasta de nós as nossas transgressões.

Como um pai ama e tem compaixão de seus filhos, assim o Senhor ama e tem compaixão daqueles que o temem [com reverência, adoração e respeito].

Pois Ele conhece a nossa estrutura, Ele [intensamente] se lembra e tem gravado [em seu coração] que nós somos pó (Salmos 103.12-14).

> Já que Ele [Cristo], após ter oferecido um único sacrifício por nossos pecados [que valerá] para sempre, sentou-se à direita de Deus, e então espera até que seus inimigos sejam colocados como estrado debaixo dos seus pés.
>
> Por uma única oferta, Ele tem para sempre purificado e aperfeiçoado aqueles que são consagrados e santificados.
>
> E também o Espírito Santo acrescenta o seu testemunho a nós [em confirmação a isso]. Pois foi dito, este é ó acordo (testamento, aliança) que Eu estabelecerei e firmarei com eles após esses dias, diz o Senhor: imprimirei a minha lei em seus corações, e as inscreverei em suas mentes (no mais interior de seus pensamentos e compreensão).
>
> Então, Ele diz, *de seus pecados e da quebra da lei, eu não me lembrarei mais* (Hebreus 10.12-17, grifo da autora).

Mas, para nos beneficiarmos do perdão prometido por Deus, devemos recebê-Lo pela fé.

Muitos anos atrás, quando comecei a desenvolver meu relacionamento com o Senhor, toda noite eu clamava pelo seu perdão por meus pecados do passado. Uma noite, enquanto estava ajoelhada ao lado da minha cama, ouvi o Senhor me dizer: "Joyce, Eu lhe perdoei desde a primeira vez que me pediu, mas você não *recebeu* meu dom do perdão porque não perdoa a si mesma".

Você já recebeu o dom do perdão de Deus? Se ainda não o fez e está pronto a fazê-lo, peça ao Senhor que lhe perdoe por todos os seus pecados agora mesmo. Então, faça a seguinte oração em voz alta:

Eu recebo o seu perdão, Senhor, pelo pecado de ________________ *(diga qual é o pecado).*

Pode ser difícil verbalizar alguns de seus erros e pecados do passado, mas expressá-los ajuda a trazer a libertação de que você precisa.

Uma vez, enquanto orava, pedi a Deus que me perdoasse, pois (conforme eu disse a Ele) "eu tinha falhado".

"Falhou em quê"?, Ele perguntou.

"Bem, o Senhor sabe", eu respondi, "o Senhor sabe o que fiz".

Ele sabia, de fato. Mas, para o meu bem, tornou-se claro para mim que eu precisava verbalizar qual era o pecado. O Senhor mostrou-me que a língua é como um balde que vai até o poço que está dentro de nós e traz à tona o que quer que esteja ali.

Uma vez que você claramente pede o dom do perdão, receba-o como seu e repita em voz alta:

Senhor, recebo o perdão por ________________ (diga qual é o pecado), *em Cristo Jesus. Eu perdôo a mim mesmo e aceito Seu dom de perdão como meu. Creio que o Senhor remove completamente esse pecado de mim, afastando-o para um lugar onde não pode mais pode ser encontrado, assim como o Senhor afasta o Oriente do Ocidente. E creio, sim, Senhor, que o Senhor não se lembra mais dele.*

Você descobrirá que falar em voz alta é freqüentemente benéfico porque, ao fazê-lo, você está declarando sua posição em relação à Palavra de Deus. O diabo não pode ler sua mente, mas pode compreender suas palavras. Declare diante de todos os principados, poderes e dominadores das trevas (veja Efésios 6.12) que Cristo o libertou e você pretende caminhar nessa liberdade.

Enquanto você fala, aja de acordo!

Se o diabo tentar novamente trazer esse pecado à sua mente na forma de culpa ou condenação, repita sua declaração, dizendo-lhe: "Fui perdoado por esse pecado! Isso já foi resolvido, portanto, não tratarei mais desse assunto". Satanás é legalista, e, portanto, se você quiser, pode até mesmo mencionar a data na qual você pediu e recebeu o perdão prometido por Deus.

Não fique apenas sentado ouvindo as mentiras do diabo e suas acusações; aprenda a responder a ele!

Confessem Suas Faltas Uns aos Outros

Em Tiago, capítulo 5, a maneira de ser curado e restaurado é muito clara:

> Está alguém entre vocês aflito (maltratado, sofrendo algum mal)? Ele deve orar. Está alguém alegre de coração? Ele deve cantar louvores [para Deus].
>
> Está alguém entre vocês doente? Ele deve chamar os presbíteros da igreja (seus líderes espirituais). E eles devem orar por ele, ungindo-o com óleo em nome do Senhor.
>
> E a oração (que é) da fé salvará aquele que está enfermo, e o Senhor o restaurará, e se ele tiver cometido pecados, será perdoado.
>
> Confessem uns aos outros, portanto, suas faltas (seus deslizes, seus erros, suas ofensas, seus pecados) e orem [também] uns pelos outros, para que vocês possam ser curados e restaurados (para uma harmonia espiritual de mente e coração). A oração intensa (de coração, contínua) de um homem justo tem tremendo poder disponível [é dinâmica em sua operação] (13-16).

Devemos confessar nossas faltas uns aos outros. Mas isso não significa que toda vez que pecamos devemos confessar nosso pecado a outra pessoa. Sabemos que Jesus é o nosso Sumo Sacerdote. Não temos de ir às pessoas para receber o perdão de Deus. Esse é o caso sob a Velha Aliança, mas não sob a Nova Aliança.

Então, qual é a aplicação prática de Tiago 5.16? Creio que não somente precisamos conhecer a Palavra de Deus, mas saber como aplicá-la de forma prática em nossa vida diária. Uma pessoa pode estar sangrando e possuir bandagens, mas, se ela não souber como aplicá-las, poderá sangrar até a morte. Muitas pessoas têm a Palavra de Deus e, contudo, estão "sangrando até a morte" (vivendo em tormento) porque não sabem como aplicar a Palavra em situações diárias.

Creio que Tiago 5.13-16 deve ser aplicado dessa forma. Primeiro, esteja certo de que você sabe que o homem não pode perdoar pecados; isso é trabalho de Deus. Contudo, os homens podem pronunciar e declarar o perdão de Deus para você. Os homens podem concordar com você com relação ao seu perdão. Alguém pode até orar para que você seja perdoado (veja 1 João 5.16), assim como Jesus fez quando estava na cruz, orando por aqueles que o tinham perseguido para que fossem perdoados.

Quando você precisa aplicar essa passagem? Creio que uma ocasião para colocar Tiago 5.16 em prática é quando você está se atormentando pelos seus pecados do passado. Ser envenenado interiormente o impede de sentir-se bem física, mental, espiritual ou emocionalmente.

Uma vez que sejam expostas à luz, as coisas ocultas das trevas perdem seu poder. Pessoas ocultam coisas por causa do medo. Satanás martela a mente das pessoas com pensamentos tais como: *O que as pessoas dirão se elas souberem que fui abusada? Todos pensarão que eu sou uma pessoa horrível! Eu serei rejeitada*, etc.

Em meus encontros, numerosas pessoas vêm me pedir oração, confidenciando-me: "Eu nunca disse isso a ninguém, mas senti que precisava confessar isso: eu fui abusada". Freqüentemente tais pessoas choram incontrolavelmente. Com esse choro, contudo, freqüentemente vem uma liberação que é desesperadamente necessária. Pessoas feridas sentem-se seguras comigo porque elas sabem que também fui abusada.

Agora, *por favor*, compreenda que não estou dizendo que todos precisam admitir que foram abusados e pedir oração para a cura. Se você está sofrendo pelos efeitos do abuso, seja dirigido pelo Espírito Santo não somente para decidir se você precisa confessar isso a alguém, mas também para decidir a quem você deve fazer sua confissão. A pessoa deve ser cuidadosamente escolhida. Sugiro um cristão maduro em quem você sabe que pode confiar. Se você é casado e seu cônjuge preenche esse requisito, considere-o como a primeira opção.

Você precisa saber que, freqüentemente, quando um cônjuge toma conhecimento dessa situação, ele reage com ira em relação ao abusador. Portanto, antes que você faça sua confissão, esteja certo de que seu cônjuge é dirigido pelo Espírito e deseja seguir a direção de Deus, e não seus sentimentos pessoais.

Seu cônjuge pode fazer algumas perguntas que você pode facilmente não entender se não estiver plenamente preparado para elas. Por exemplo, quando contei a meu marido que meu pai tinha abusado de mim sexualmente todos aqueles anos, ele me perguntou: “Você tentou fazê-lo parar”? “Por que você não contou a ninguém”? Tenha em mente que seu cônjuge pode não compreender plenamente a sua situação e seus sentimentos, e pode apenas precisar de algumas respostas. Em meu caso, assim que eu disse ao meu marido que era controlada pelo medo, ele compreendeu.

A prática de confessar nossas falhas uns aos outros e receber oração é uma ferramenta poderosa para ajudar a quebrar cadeias. Eu tinha problemas com inveja em certa área por algum tempo e, certamente, não queria que alguém soubesse a respeito, portanto me recusava a pedir oração. Pelo contrário, escolhi lutar contra aquilo sozinha e, assim, como resultado não obtive progresso algum. Assim que Deus me deu a revelação de Tiago 5.16, “Confesse um ao outro, portanto, suas falhas”, percebi que havia algumas poucas áreas em minha vida que estavam mantendo poder sobre mim, simplesmente, porque eu as ocultava e era bastante orgulhosa para revelá-las.

O medo pode nos levar a ocultar coisas, mas o orgulho pode fazê-lo também. Humilhei-me e contei meu problema a meu marido, e ele orou por mim. Depois disso, comecei a experimentar a libertação nessa área.

Uma Palavra de Cautela

Algumas vezes, as pessoas se livram de um problema e, nesse processo, deixam o problema com outra pessoa. Após me ouvir ensinar sobre a importância da verdade e como ocultar as coisas pode causar problemas, uma mulher que freqüentava nossos encontros confessou-me que sempre me detestou intensamente e sempre fizera mexericos a meu respeito. Ela me pediu perdão, o que, certamente, desejei fazer. Ela saiu empolgada por estar livre do seu problema, mas deixou-me lutando contra maus pensamentos sobre ela. Eu ficava me perguntando o que ela teria dito de mim, para quem teria falado, se eles teriam acreditado nela e por quanto tempo isso aconteceu.

Equilíbrio, sabedoria e amor são palavras-chave da Bíblia. Operar nessas qualidades acelerará o seu progresso. Uma pessoa que é cheia de sabedoria e amor pensará sobre o assunto, buscará receber a direção do Senhor e conduzirá a situação de forma equilibrada.

PARTE DOIS

Mas agora Sou Livre

Se o Filho vos libertar [torná-los homens livres], então vocês serão, real e inquestionavelmente, livres.

JOÃO 8.36-15

15

Perdoando ao Seu Abusador

Para muitas pessoas, perdoar àqueles que abusaram delas é a parte mais difícil da cura emocional, podendo até mesmo ser um obstáculo que impede a cura. Aqueles que foram cruelmente feridos por outros sabem que é muito mais fácil dizer a palavra *perdão* do que praticá-la.

Tenho passando bastante tempo estudando e orando sobre esse problema, pedido a Deus por respostas práticas para o assunto. Oro para que aquilo que eu venha a lhe dizer a respeito disso seja uma nova abordagem para uma questão tão importante a tratar.

Primeiramente, deixe-me dizer que não é possível ter uma boa saúde emocional enquanto a amargura, o ressentimentos e a falta de perdão permanecerem abrigados. *Agasalhar a falta de perdão é como beber veneno e querer que seu inimigo morra*! A falta de perdão envenena aquele que a mantém, levando-o a tornar-se amargo. *E é impossível ser amargo e sentir-se bem ao mesmo tempo!*

Se você é uma vítima de abuso, tem uma escolha a fazer: permitir que cada problema ou ferida o torne pior ou melhor. A decisão é sua.

Como pode uma ferida ou um problema torná-lo uma pessoa melhor? Deus não causa dores e feridas em você, mas, uma vez que elas lhe foram infligidas, Ele é capaz de levá-las a beneficiá-lo, se você confiar nEle para fazê-lo.

Deus pode transformar erros em milagres!

Satanás pretende destruí-lo, mas Deus pode tomar tudo o que Satanás envia contra você e transformá-lo para o seu bem. Você deve crer nisso ou, então, cairá em desespero. Como o salmista escreveu muito tempo atrás, "[o que, que seria de mim] se eu não cresse que eu veria a bondade do Senhor na terra dos viventes"! (Salmos 27.13).

Recentemente, recebi a carta de uma mulher que dizia: "Sei que Deus não causou seu abuso, mas, se você não tivesse sido abusada, não poderia me ajudar". Ela continuou: "Por favor, não se sinta tão mal a respeito disso, porque Deus está usando o seu sofrimento para libertar outras pessoas".

Muitos anos atrás, tive de fazer uma escolha: eu poderia escolher permanecer amarga, cheia de ódio e autopiedade, ressentida com as pessoas que me feriram e com aquelas que podiam desfrutar uma vida normal e agradável, aquelas que nunca foram feridas como eu; ou escolher seguir o caminho de Deus, permitindo que Ele me tornasse uma pessoa melhor por causa daquilo que enfrentara. Agradeço a Deus por ter-me dado a graça para escolher seu caminho em vez de escolher o caminho de Satanás.

O caminho de Deus é o perdão.

Lembro-me de que, a principio, comecei a tentar caminhar com Deus. Uma noite percebi que não poderia ser cheia de amor e ódio ao mesmo tempo. Assim, pedi ao Senhor que removesse o ódio que esteve por tanto tempo dentro mim. Era como se Ele tivesse entrado dentro de mim e arrancado aquilo. Após a experiência, nunca mais odiei meu pai, mas ainda sentia rancor, aversão e desconforto quando estava próxima dele. Eu queria ficar livre de todos os sentimentos ruins e más atitudes dentro de mim, mas "como fazer" era uma grande questão para mim.

À medida que continuei a estudar e a meditar na Palavra de Deus e relacionar-me com o Espírito Santo, o Senhor me ensinou muitas coisas. Eu gostaria de compartilhar com você o que aprendi nos anos do meu progresso rumo à cura completa.

Passos para a Cura Emocional

Primeiramente, você deve escolher o caminho de Deus, que é o caminho do perdão. Ele não o forçará a isso. Se você quiser levar uma vida vitoriosa e desfrutar plena saúde emocional, deve acreditar que o caminho de Deus é o melhor. Mesmo se você não compreendê-lo, escolha segui-lo. Funciona.

Em seguida, aprenda sobre a graça de Deus. A graça é o poder do Espírito Santo que vem para nos ajudar a realizar a vontade de Deus. Tiago disse a respeito de Deus:

Mas Ele nos dá mais e mais graça (poder do Espírito Santo para vencer essa tendência má e todas as outras plenamente). Eis por que Ele diz: Deus se coloca contra o orgulhoso e altivo, mas dá graça [continuamente] para o humilde (aquele que se humilha o suficiente para recebê-la) (Tiago 4.6).[10]

Você pode escolher perdoar e, contudo, ainda ter de lutar contra a frustração porque você é tentado a perdoar por sua própria força, quando, realmente, precisa da força do Senhor. O profeta Zacarias nos diz que "não por força nem por poder, mas pelo meu Espírito, diz o Senhor dos Exércitos" (Zacarias 4.6-ARA).

Não é necessário que você enfrente face a face seus abusadores para receber o benefício de perdoar-lhes em seu coração. De fato, mesmo se aqueles que abusaram de você não vivem mais, você ainda pode desfrutar grande libertação se você decidir perdoar-lhes.

Após escolher perdoar e perceber que você não pode perdoar sem a ajuda de Deus, ore e libere cada pessoa que o feriu. Repita esta oração em voz alta:

> *Eu perdôo a* _____________ (nome) *por* _____________ (seja o que for que ele fez contra você). *Decido caminhar em Seus caminhos, Senhor. Eu amo o Senhor e transfiro-Lhe essa situação. Lanço meus cuidados ao Senhor, por isso creio na minha total restauração. Ajude-me, Senhor; sare-me de todas as feridas infligidas a mim.*

Há muitos versículos que nos dizem que Deus defenderá o seu povo (veja Isaías 54.17). Deus é aquele que nos retribui, Ele é a nossa recompensa (veja Isaías 35.4). Ele é um Deus de justiça, a qual somente Ele pode trazer. Somente Deus pode reparar você pelo dano sofrido e somente Ele está qualificado para lidar com seus inimigos humanos.

A Bíblia encoraja os crentes a viverem em paz com todos, confiando no Senhor para cuidar deles:

> Não vos vingueis a vós mesmos, amados, mas dai lugar à ira; porque está escrito: A mim me pertence a vingança; Eu é que retribuirei, diz o Senhor (Romanos 12.19-ARA).

> Pois nós conhecemos Aquele que disse, A Vingança é Minha [a retribuição e o comprimento de toda a justiça pertence a mim]; Eu retribuirei [Eu exigirei a compensação], *diz o Senhor*. E novamente, o Senhor julgará, determinará, resolverá e decidirá a causa e as causas de seu povo.
>
> É algo amedrontador (formidável e terrível) incorrer nas divinas penalidades e ser lançado nas mãos do Deus vivo! (Hebreus 10.30-31).

Uma das principais verdades que o Senhor falou comigo quando eu estava lidando com a questão do perdão foi: "Pessoas feridas ferem pessoas"!

A maioria dos abusadores também sofreu abuso, de uma forma ou de outra. Freqüentemente, aqueles que cresceram em lares desestruturados criarão uma atmosfera desestruturada em seus próprios lares.

Quando observei minha própria vida, pude ver esse padrão. Eu tinha crescido num lar desestruturado, e assim estava criando uma atmosfera desestruturada em meu próprio lar. Eu não conhecia outra forma de me comportar. Essa percepção trouxe-me grande ajuda.

Pessoas Feridas Ferem Pessoas!

Realmente, não acredito que meu pai compreendia o que ele estava fazendo comigo emocionalmente, nem creio que ele percebia que estava me causando um problema com o qual eu teria de lidar a maior parte de minha vida. Quando, primeiramente, o confrontei sobre o que ele me fizera, ele agiu como se suas ações fossem normais. Ele tinha sido abusado quando criança, e o espírito de incesto o motivava a fazer o que ele tinha visto outros membros da família fazerem.

Eu tinha aproximadamente 50 anos de idade quando Deus me instruiu a conversar com meus pais sobre o abuso que eu enfrentara. Eu realmente não queria falar com eles sobre isso, mas Deus me disse que era tempo de fazê-lo. Meu pai não demonstrou qualquer arrependimento no primeiro confronto, e parecia claro para mim que aquilo que ele estava fazendo é o que muitas pessoas que não são nascidas de novo fazem, vivendo egocentricamente, satisfazendo seus próprios desejos pervertidos e satanicamente controlados, sem nenhuma consideração pelas conseqüências de suas ações. Meu pai estava simplesmente determinado a obter o que ele queria, não importando o que causasse a mim ou a qualquer outra pessoa.

Ao falar com meus pais naquela época, percebi que não importava que meu pai não se lamentasse, ainda assim era importante, para meu próprio bem, poder dizer-lhe que eu lhe perdoava. Perdoar-lhe me liberaria para prosseguir com minha vida.

Devemos nos lembrar do que Jesus disse enquanto estava pendurado na Cruz, sofrendo por coisas que não eram sua culpa, mas, sim, de outros, incluindo os próprios responsáveis pelos seus tormentos. Ele disse: "Pai, perdoa-lhes, porque não sabem o que fazem." (Lucas 23.34-ARA).

É fácil julgar, mas a Bíblia nos diz que "a misericórdia triunfa vitoriosamente sobre o juízo" (Tiago 2.13). Não quero dizer que os abusadores não sejam responsáveis por seus pecados, pois todos nós devemos assumir a responsabilidade por nossos próprios erros. O Senhor compartilhou comigo que a misericórdia vê "o porquê" por trás do "o quê". A misericórdia e a compaixão não olham apenas para o comportamento errado; elas olham para a infância, para o temperamento e para toda a vida do indivíduo que comete o erro. Devemos nos lembrar de que Deus odeia o pecado, mas ama o pecador.

Tive muitos problemas em minha personalidade que levaram muitas pessoas a me julgar e a me rejeitar. Jesus nunca me rejeitou nem me julgou. Meu pecado era julgado por aquilo que ele era, mas Deus conhecia meu coração. Pecado é pecado, minhas ações estavam erradas, não importava o que as causasse. Mas Deus sabia que, como mulher abusada por 15 anos desde a sua infância, eu estava assim agindo por causa de feridas profundas, e Ele teve misericórdia de mim.

Isaías profetizou sobre o Messias que viria: "Não julgará segundo a vista dos seus olhos, nem repreenderá segundo o ouvir dos seus ouvidos." (Isaías 11.3-ARA).

Freqüentemente quando estou ensinando, mostro às pessoas a figura de uma rocha. Essa rocha tem uma aparência áspera, feia e bruta por fora, mas é maravilhosamente bela e guarnecida com cristais azuis e ametistas por dentro.

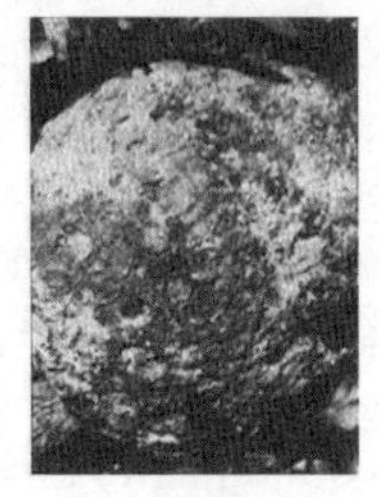

Exterior bruto da rocha

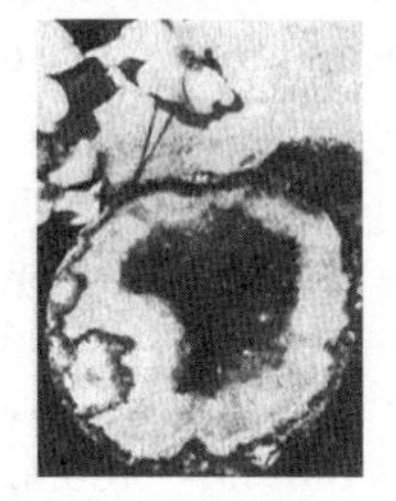

Beleza interior da rocha

Olhando somente para o exterior, quem pensaria que toda essa maravilhosa beleza estaria por baixo daquela superfície? Assim são as pessoas. Deus vê o nosso interior. Ele vê as possibilidades. Ele vê o espírito. Todos os outros vêem o homem exterior. Sem que sejamos treinados por Deus para ver além do que podemos perceber com os olhos naturais, sempre viveremos julgando em nosso coração.

Lembre-se: pessoas feridas ferem pessoas!

16

Abençoando Seus Inimigos

Jesus foi bastante claro sobre o que devemos fazer àqueles que nos ferem:

> Eu, porém, vos digo: amai os vossos inimigos e orai pelos que vos perseguem; (Mateus 5.44-ARA).

> Invoquem bênçãos e orem pela felicidade daqueles os amaldiçoam, e supliquem bênçãos (favor) sobre aqueles que abusam de vocês [maltratam, reprovam, depreciam e desprezam arrogantemente vocês]. Para aqueles que ferem sua face, ofereçam-lhe também o outro lado da face, e para aqueles que levam sua vestimenta exterior, não lhes negue também a sua vestimenta interior (Lucas 6.28-29).

Paulo também instruiu os crentes a perdoar aos outros dizendo: "Abençoem aqueles que vos perseguem [que são cruéis em suas atitudes com vocês]; abençoem e não amaldiçoem" (Romanos 12.14).

Quando comecei a ministrar às pessoas, notei que freqüentemente elas expressavam um genuíno desejo de perdoar seus inimigos, mas admitiam que eram incapazes de fazê-lo. Eu buscava a Deus em oração por respostas para elas, e Ele deu-me esta mensagem: "Meu povo quer perdoar, mas não está obedecendo às Escrituras com relação ao perdão". O Senhor levou-me a várias passagens sobre orar e abençoar nossos inimigos.

Muitas pessoas declaram perdão aos seus inimigos, mas não oram e nem orarão por aqueles que as feriram. Orar por aqueles que cometeram erros contra nós pode levá-los ao arrependimento e à verdadeira percepção do mal que eles causaram a outros. Sem tal oração, eles podem permanecer no engano.

Ore para que Deus abençoe seus inimigos, aqueles que abusam, ridicularizam e maltratam você. Você não estará orando especificamente para que as suas atitudes sejam abençoadas, mas para que eles sejam abençoados como indivíduos.

É impossível para alguém ser verdadeiramente abençoado sem conhecer a Jesus. Como vítima de um abuso, se você orar por seus abusadores, você ativará Romanos 12.21(ARA): "Não te deixes vencer do mal, mas vence o mal com o bem.".

Peça a Deus que lhe mostre misericórdia, e não juízo, para seus abusadores. Lembre-se: se você semear misericórdia, colherá misericórdia (veja Gálatas 6.7). Abençoar e não amaldiçoar seus inimigos é uma parte muito importante do processo do perdão. Uma definição da palavra *abençoar* é "falar bem de", e *amaldiçoar* significa "falar mal de".

A Língua e o Perdão

Quando você foi maltratado, é muito tentador contar às outras pessoas o que lhe aconteceu. De acordo com o propósito previsto na Palavra de Deus, esse tipo de compartilhamento é importante. Para receber cura, oração confortadora, é também necessário revelar o que você sofreu nas mãos de outros. Mas espalhar difamação e arruinar a reputação de alguém é contra a Palavra de Deus. A Bíblia nos ensina a não fazer mexericos, a não caluniar ou difamar pessoas. O escritor de Provérbios 17.9 (ARA) diz: "O que encobre a transgressão adquire amor, mas o que traz o assunto à baila separa os maiores amigos.".

Freqüentemente exercitamos fé para receber cura de nossas feridas e, ao mesmo tempo, falhamos em obedecer à lei real do amor. Em Gálatas 5.6, o apóstolo Paulo nos diz que a fé opera e é energizada pelo amor: "porque o amor cobre multidão de pecados." (1 Pedro 4.8-ARA).

Podemos ter uma conversa com o Senhor sobre aquilo que ocorreu conosco. Podemos até mesmo revelar o acontecido para aqueles a quem seja necessário por alguma razão, mas, se quisermos perdoar e nos recuperar das dores e feridas, não devemos falar a todos sobre o problema ou sobre a pessoa que o causou. A Bíblia nos alerta sobre as palavras vãs (inúteis) (veja Mateus 12.36). A menos que revelar nosso problema tenha algum bom propósito, devemos nos disciplinar a suportá-lo silenciosamente, confiando que Deus nos recompensará publicamente por honrar a Sua Palavra.

Lembro-me do caso de uma mulher casada há mais de trinta anos cujo marido envolveu-se num relacionamento com sua melhor amiga. Ele desapareceu com a mulher, levando os recursos economizados pela família. Essa era uma família cristã, e, certamente, o adultério e a infidelidade eram totalmente inesperados e chocaram a todos.

A esposa, desolada, caíra na armadilha de falar sobre o que seu marido e sua amiga lhe fizeram, o que, a princípio, era justificável. Contudo, três anos mais tarde, após ela ter recebido o divórcio e seu ex-marido se casar com sua amiga, a mulher ainda não tinha superado a dor. Ela também se casara com um homem maravilhoso e dizia que queria esquecer o passado e continuar com sua vida, mas era incapaz de perdoar e prosseguir.

Ouvindo uma série de fitas com meus estudos sobre o assunto da língua e o poder das palavras, ela percebeu que não obtinha vitória porque permanecia continuamente falando a todos que podiam ouvi-la sobre o que tinha acontecido. Trazendo, vez após vez, todos os detalhes, ela sempre trazia de volta as memórias dolorosas.

Deus me mostrou que algumas pessoas oram por cura e até mesmo dizem "Eu perdôo aqueles que me feriram", e assim Ele começa a operar um processo de cura. Mas elas não permitem que Ele complete Sua obra porque elas se mantêm reabrindo a ferida.

Quando uma ferida física começa a ser curada, forma-se uma casca, mas, se ela for continuamente tocada, nunca sarará. Pode até mesmo se tornar infectada e deixar uma cicatriz. O mesmo ocorre com as feridas emocionais. Falar sobre as feridas e sobre a pessoa que as causou é semelhante a mexer constantemente num machucado. Isso reabre a ferida e causa novo sangramento.

Uma das coisas mais úteis que Deus me revelou é que perdoar requer disciplina sobre a língua. A carne sempre quer "repetir ou insistir no assunto", mas cobrir a ofensa trará bons resultados.

Se você precisa falar sobre seu problema para obter aconselhamento, oração ou qualquer outro propósito, pode fazê-lo de forma positiva.

Exemplo: o que soa mais parecido com a maneira de Deus?

> "Por 15 anos meu pai repetidamente abusou de mim sexualmente. Minha mãe sabia a respeito e não fez nada."

— Ou —

> "Por 15 anos meu pai abusou sexualmente de mim. Deus está me curando. Estou orando por meu pai. Percebo que ele tinha feridas em seu passado e era controlado por forças demoníacas. Minha mãe sabia a respeito do que ele

estava fazendo e poderia ter me ajudado, mas ela foi paralisada pelo medo e pela insegurança. Ela, provavelmente, não sabia como enfrentar a situação e, assim, omitiu-se."

Estou certa de que você concorda que o segundo exemplo soa de forma mais amorosa. Palavras bem escolhidas podem mudar toda a feição de um relato. Lembre-se: se você quer se tornar uma pessoa melhor, não pode mais ser amargo. Se há qualquer amargura em você, é bastante provável que isso seja demonstrado por meio da sua conversa. O tom da sua voz e a escolha das suas palavras podem revelar muitas coisas a seu respeito se você quiser ser sincero. Em Mateus 12.34, Jesus disse que "da plenitude (da superabundância, da fartura) do coração, a boca fala".

Se você quer vencer um problema, pare de falar a respeito dele. Sua mente afeta sua boca e sua boca afeta sua mente. É difícil parar de falar sobre a situação se você não parar de pensar a respeito dela. E é também difícil parar de pensar a respeito do assunto se você continuamente falar sobre ele.

A decisão certa é: Faça o que pode fazer, e Deus o ajudará a fazer o que não pode fazer. Faça o seu melhor, confie em Deus, e Ele fará o resto.

Pode levar algum tempo antes que você consiga disciplinar sua boca completamente. Comece por obedecer aos "toques" do Espírito Santo. Se você receber a convicção dEle para ficar quieto, obedeça-Lhe e receberá um pouco mais de liberdade cada vez que fizer isso.

Também esteja consciente de que Satanás vai tentá-lo você nessa área. Ele conhece o poder das palavras. Palavras são contêineres de poder! A língua é uma arma para ser usada em favor de Satanás ou contra ele. Eis por que você deverá escolher suas palavras cuidadosamente. Satanás usará até mesmo amigos bem-intencionados, amorosos, para trazer seu problema à tona. Tenha sabedoria e discrição. Não caia na armadilha que pode reabrir sua ferida e fazê-la sangrar novamente.

Confie em Deus para Mudar Seus Sentimentos

Sentimentos (emoções) constituem um fator importante no processo de cura e na liberação do perdão. Você pode tomar todas as decisões corretas e, por um longo tempo, não perceber qualquer diferença na maneira como você se sente agora e como se sentia antes de ter decidido ser obediente ao Senhor. É aí que a fé é necessária para levá-lo diante.

Você fez a sua parte e agora espera que Deus faça a parte dEle. A parte de Deus é curar suas emoções, fazer você se sentir bem, e não ferido. Somente Deus tem o poder de mudar seus sentimentos com relação à pessoa que o feriu. A cura interior somente pode ser realizada por Deus, porque Ele, por intermédio do poder do Espírito Santo, vive em você (se você nasceu de novo), e somente Ele pode curar seu interior.

Por que Deus nos faz esperar pela cura? Esperar é a parte mais difícil. Nossa atitude enquanto esperamos revela se temos fé em Deus. De acordo com Hebreus 6.12, as promessas de Deus são herdadas por meio da fé e da paciência. Em Gálatas 5.5, o apóstolo Paulo declara que devemos, "pela fé, antecipar e esperar pela bênção e pelo bem pelos quais nossa justiça e posição correta com Deus [nossa conformidade à Sua vontade em propósito, pensamento, e ação] aguardam".

Não temos que esperar qualquer resultado quando seguimos a carne. Contudo, a forma de o homem natural lidar com aquilo que o fere nunca produz bons resultados. O caminho de Deus funciona, mas esse caminho opera por intermédio do princípio de semear sementes e, pacientemente, esperar pela colheita. Você semeia boa semente ao seguir o plano de Deus de forma obediente, o qual é:

- *Receba* o perdão de Deus (e ame a si mesmo).
- *Decida* perdoar e liberar aqueles que o feriram.
- *Ore* por seus inimigos.

- *Abençoe* aqueles que o feriram.
- *Acredite* que Deus está curando suas emoções.
- *Espere.*

Esperar é onde a batalha é ganha no reino espiritual. Esperar e manter seus olhos em Deus exerce pressão contra as forças demoníacas que deram inicio ao problema, e elas terão que retroceder, devolvendo o terreno que conquistaram. Quando você mantém seus olhos em Deus, isso força o inimigo a sair do seu território:

> AQUELE QUE habita no lugar secreto do Altíssimo permanecerá estável e seguro sob a sombra do Todo Poderoso (cujo poder nenhum inimigo pode resistir).
>
> Eu direi do Senhor, Ele é o meu Refúgio e a minha Fortaleza, meu Deus, Nele eu me apóio e confio, e nele eu (confiantemente) creio! (Salmos 91.1-2).

Quando você ler os demais versículos desse salmo, então verá que são cheios de grandes promessas sobre como o inimigo não poderá derrotá-lo. Uma nota de rodapé sobre o Salmo 91 na *Bíblia Amplificada* diz: "Mas as promessas de todo este capítulo dependem das condições de os dois primeiros versículos do salmo serem satisfeitas". Em outras palavras, ocorrerá o bem para aqueles que habitam no lugar secreto de Deus e proclamam o Senhor como seu refúgio e fortaleza, aqueles que confiam e apóiam todo seu ser nEle.

Aqui está o relato de uma experiência que, creio, pode ajudar a esclarecer esse ponto. Uma amiga, alguém a quem eu amava, em quem confiava e a qual ajudara em muitas situações, feriu-me profundamente. Mentiras foram espalhadas a meu respeito, causando grandes problemas e angústia em mim. Críticas e mexericos estavam envolvidos, e essa mulher, que foi uma das maiores promotoras dessa confusão, deveria ter agido de forma melhor.

Essa situação em particular foi, provavelmente, a maior ferida emocional que já experimentei no ministério, porque veio de uma colaboradora em Cristo em quem eu confiava e com quem eu trabalhava. Eu sabia que eu tinha que perdoar-lhe ou a falta de perdão envenenaria meu ministério e a mim.

Comecei esse processo que expliquei. O primeiro passo, escolher perdoar, não foi tão difícil. O próximo, fazer a oração do perdão, também não foi tão difícil. O terceiro passo, orar pela própria mulher, foi um pouco mais complicado. Mas o quarto passo, abençoá-la e recusar-me a falar mal dela, foi provavelmente, o mais difícil de todos.

De fato, parecia que ela continuava a viver como se nada tivesse acontecido, enquanto meus sentimentos estavam feridos. Finalmente, comecei a entender que ela tinha sido enganada por Satanás e que, realmente, acreditava estar sendo obediente a Deus quando agiu daquela forma comigo.

Embora eu estivesse tentando aplicar o passo cinco crendo que minhas emoções seriam curadas, meus sentimentos diante dessa mulher não mudaram por cerca de seis meses. O passo seis, esperar no Senhor, foi especialmente difícil para mim porque eu tinha de conviver com essa mulher o tempo todo. Ela nunca se desculpou por suas ações e nem indicou que tinha feito algo errado. Algumas vezes, sentia-me tão mal que pensava não poder suportar mais um dia!

Eu dizia a Deus: "Fiz a minha parte. Confiei no Senhor para mudar meus sentimentos". Aprendi que, para o processo funcionar, você tem de permanecer em sua posição e não desistir!

Cerca de seis meses se passaram. Algumas vezes, quando via aquela mulher, eu queria explodir e repreendê-la! Mas tudo o que eu podia fazer era continuar a pedir a Deus que me ajudasse a me controlar. Atravessei várias fases de emoções durante esses seis meses. Algumas vezes, eu podia ser mais compreensiva do que em outras.

Um domingo pela manhã, durante uma reunião da igreja, senti que Deus queria que eu fosse até essa mulher, a abraçasse e lhe dissesse que eu a amava. Honestamente, devo dizer que minha carne estava gemendo. Pense: *Oh! Não, Senhor, não isso! O Senhor certamente não me pedirá para ir até ela, quando ela é que deveria vir até mim! E se eu for e isso a fizer pensar que estou admitindo que errei?*

Eu queria que a mulher viesse e se desculpasse, e, contudo, sentia essa gentil pressão para ir até ela. O Espírito Santo estava tentando me levar até as bênçãos que Deus, o Pai, tinha para derramar sobre minha vida. Freqüentemente o Senhor tenta mostrar que nos abençoará, e nós nunca recebemos tais bênçãos porque nos rebelamos em fazer o que Ele nos diz.

Finalmente, comecei a ir na direção dela, odiando cada segundo daquilo em minha carne, mas querendo ser obediente ao Senhor. Quando comecei a andar, ela também veio em minha direção. Aparentemente Deus também estava falando com ela.

Quando nos encontramos, simplesmente a abracei e disse: "Eu amo você". Ela fez exatamente o mesmo, e esse foi o final da história. Ela nunca se desculpou comigo nem mesmo mencionou o que acontecera; contudo, por causa de minha obediência, Deus quebrou o jugo dessa escravidão. No tocante a mim, todo o incidente faz parte do passado, ao menos em sua maior parte. Ocasionalmente eu ainda sentia um pouco de dor quando via aquela mulher ou quando alguém mencionava o nome dela, mas nunca mais fui atormentada emocionalmente pela situação daquele dia em diante.

Você Deseja Andar mais uma Milha?

Chegou o momento em que Deus começou a lidar comigo sobre honrar e abençoar meus pais. Isso era difícil para mim porque nenhum deles tinha mostrado qualquer arrependimento pelas coisas que me aconteceram. Eu sabia que tinha de continuar fazendo o que era certo aos olhos de Deus, muito embora não *sentisse* vontade de fazê-lo. Lembre-se: o perdão não depende de a pessoa a ser perdoada merecê-lo. O perdão é uma decisão tomada como um ato de obediência à Palavra de Deus.

Certa vez, quando meu pai estava doente no hospital, ele pensou que iria morrer, e assim pediu que eu e Dave fôssemos até lá e fizéssemos uma oração por ele. Perguntamos-lhe se ele queria ser salvo, e ele respondeu que sim, mas, quando oramos com ele, tudo o que ele disse foi: "Simplesmente me sinto morto por dentro. Simplesmente não há nada dentro de mim".

Ele queria ser salvo, mas ainda não estava arrependido das coisas que fizera. Tivemos de conversar sobre o que ele tinha feito a mim, e, então, ele fez uma declaração interessante: "Lamento por tê-la ferido, mas não posso realmente dizer que estou arrependido de tê-lo feito".

Eu podia ver que meu pai não estava arrependido, mas ele não poderia receber a salvação até que realmente se arrependesse. Também pude claramente perceber que o arrependimento é um dom. Quando uma pessoa se sente mal em relação a alguma coisa que ela fez, isso é um dom de Deus. Mas o coração de meu pai era tão duro que ele apenas não conseguia deixar de lado seu orgulho, orar e confessar seus pecados.

Finalmente, Deus nos permitiu trazer meus pais para St. Louis para que eles pudessem estar mais próximos de nós e pudéssemos cuidar deles. Isso foi muito difícil para mim, porque eu tinha com eles um relacionamento superficial, polido, do tipo "vejo-vocês-no-feriado", até aquele momento. Eu não sentia mais qualquer amargura ou ressentimento em meu coração, mas não queria andar nenhuma milha extra para cuidar de suas necessidades diárias.

Mas trazê-los para perto era algo que Deus especificamente colocara em meu coração. Não recomendo que outros façam isso simplesmente porque Deus *me* disse para fazê-lo. Obviamente, se alguém ainda está em perigo de um iminente abuso, não creio que Deus o dirigiria a fazer isso. Mas meus pais eram idosos e precisavam de atenção que somente nós poderíamos dar.

Quando Deus nos disse para comprar uma casa para eles, pensei que deveríamos comprar uma casa qualquer, mas Deus disse para comprar uma boa casa. E assim nós compramos uma casa muito boa, que ficava a menos de dez minutos da nossa casa. Compramos os móveis, um carro e, basicamente, tudo de que eles precisavam.

Novamente, devo admitir que isso não foi fácil para mim, mas eu sabia que Deus estava dizendo para fazê-lo. Não tenho certeza do que aconteceria se eu não tivesse sido obediente, mas sei que Deus tem me abençoado de formas específicas porque me dispus a fazer o que Ele mandou. Deus tem abençoado nosso ministério simplesmente porque fui fiel em fazer o que Ele disse com relação aos meus pais, muito embora fosse difícil. É importante compreender que algumas vezes Deus nos pede coisas difíceis.

Nos primeiros três anos após meus pais terem mudado para perto, não houve qualquer mudança em meu pai. Ele não tentava mais abusar de mim, mas ainda era mesquinho, rancoroso e amargo, sempre respondendo à vida com a mesma atitude ruim. Suas expressões simplesmente faziam com que eu me retraísse, porque ele agia de forma muito miserável. Ele ainda não tratava bem minha mãe, mas nós, simplesmente, continuamos mostrando-lhe ternura e amor.

Fizemos muitas coisas boas por meu pai por vários anos antes que ele finalmente começasse a dizer: “Obrigado. Eu gostei disso. Vocês são bons para nós”.

Senti que tínhamos feito tudo o que podíamos fazer por meu pai. Chegou, então, o momento em que tínhamos apenas de esperar. A coisa importante a lembrarmos enquanto esperamos que Deus se mova na vida de alguém ou em nossa própria vida é apenas nos mantermos fazendo o que sabemos que é certo fazer.

Um bom conselho que aprendi com essa experiência é: *Obedeça a Deus e faça as coisas à maneira dEle!* Pode parecer difícil algumas vezes, mas é mais difícil permanecer em escravidão. Lembre-se sempre disso: *embora doa tornar-se livre, dói muito mais permanecer como escravo.*

17

A Vingança Pertence ao Senhor

Quando você é ferido por outra pessoa, há sempre o sentimento de que ele deve algo a você. De outro lado, quando você fere alguém, pode ter um sentimento de que precisa compensá-lo ou pagar-lhe de alguma forma. Tratamento injusto e abuso de qualquer tipo deixam "uma dívida em aberto" no reino do espírito. Tais dívidas são sentidas na mente e nas emoções. Se sentimentos de vingança por aquilo que os outros causaram a você ou pelo que você causou a eles se tornarem uma carga muito pesada e penetrarem profundamente em seu coração, você pode até mesmo sentir resultados danosos em seu próprio corpo.

Jesus ensinou seus discípulos a orar: "Perdoa nossas dívidas, assim como nós perdoamos (deixamos para trás, perdoamos, liberamos os débitos, e desistimos de nos ressentir contra) nossos devedores" (Mateus 6. 12). Ele estava falando sobre pedir a Deus que perdoe nossos pecados, e Jesus se referiu a eles como "dívidas". Uma dívida é algo que alguém tem de pagar a outra pessoa. Jesus disse que Deus perdoaria nossas dívidas, liberando-as e cancelando-as, agindo como se não estivéssemos Lhe devendo coisa alguma.

Ele também ordenou que nos comportássemos da mesma forma diante daqueles que nos devem algo. Novamente, deixe-me dizer que isso pode soar difícil, mas é muito mais difícil odiar alguém e passar a vida inteira tentando cobrar uma dívida que a pessoa nunca poderá pagar.

A Bíblia diz que Deus nos dará a nossa recompensa (veja Isaías 61.7-8 abaixo). Nunca prestei muita atenção nesses versículos até alguns anos atrás, enquanto estudava sobre o perdão e sobre liberar dívidas. *Recompensa* é uma palavra-chave para aqueles que foram feridos. Quando a Bíblia diz que Deus nos dará nossa recompensa, isso basicamente significa que o próprio Deus nos pagará de volta aquilo que nos pertence!

Memorize esses versículos com relação a Deus nos dar nossa recompensa:

> Ao invés da sua [antiga] vergonha você terá uma dupla recompensa; ao invés de desonra e da reprovação [seu povo] irá se alegrar em sua porção. Portanto, em sua terra eles possuirão o dobro [que perderam]; alegria eterna lhes pertencerá.
>
> Pois Eu, o Senhor, amo a justiça; Eu odeio o roubo e a injustiça com violência para uma oferta queimada. Eu fielmente darei a eles a sua recompensa em verdade, e farei uma aliança ou acordo eterno com eles (Isaías 61.7-8).

Discutiremos sobre a dupla recompensa novamente em capítulos posteriores. Vários outros versículos dizem que Deus é um Deus de recompensa e que a vingança pertence a Ele. Isaías 49.4 (ARA) é um dos trechos que o Espírito Santo usou em minha vida: "Eu mesmo disse: debalde tenho trabalhado, inútil e vãmente gastei as minhas forças; todavia, o meu direito está perante o Senhor, a minha recompensa, perante o meu Deus".

Buscar vingança é tentar retribuir às pessoas por algum mal que elas causaram. O problema é que a vingança é sempre em vão, ela não remove a dor ou restaura o dano. Ela realmente causa mais dor e sofrimento.

Certamente trabalhei em vão por muitos anos. A palavra "vã" significa "inútil". Se você trabalha em vão, seus esforços são inúteis. Isso desgastará você física, mental e emocionalmente, caso você tente retribuir àqueles que o feriram, ou a todos aqueles que você tem ferido.

Muitas vezes, aqueles a quem você tem odiado ou tentado se vingar estão vivendo indiferentes a isso, nem mesmo percebendo ou interessados em como você se sente. Querido sofredor, isso é trabalhar em vão. Como as Escrituras dizem, eu gastava minha força em vão; todos meus esforços eram fúteis até que eu aprendesse a buscar a Deus por minha recompensa.

Recompensa é uma palavra semelhante em significado ao pagamento de um trabalhador. Se você foi ferido quando trabalhava para Deus, Ele o recompensará. A *recompensa* também significa galardão. De acordo com a Bíblia, o próprio Deus é nosso galardoador (veja Gênesis 15.1), mas Ele também nos recompensa ao fazer coisas especiais para nós, dando-nos "uma alegria indizível" (1 Pedro 1.8) e a paz "que excede a todo o entendimento" (Filipenses 4.7). Deus tem abençoado minha vida de tal forma que, freqüentemente, é difícil perceber que realmente sou eu quem se sente tão bem e é tão abençoada.

Por longo tempo, vivi cheia de ódio e ressentimento. Eu era amarga, com um peso nos ombros, sentindo-me infeliz comigo mesma. Extravasava meu ressentimento em direção a todos, especialmente àqueles que estavam tentando me amar.

Você tem de se lembrar de que daquilo que você se enche também será alimentado. Quando você está cheio de ira, amargura e ressentimento, não somente envenena outros relacionamentos, mas também envenena a si mesmo. O que está em seu coração brota em sua conversa, em suas atitudes, e mesmo na linguagem do seu corpo e em seu tom da voz.

Se você está cheio de pensamentos e atitudes envenenadas, não há maneira de impedi-los de afetar toda sua vida. Deixe esse negócio de cobrar dívidas para o próprio Senhor. Ele é o único que pode fazer o trabalho de maneira adequada. Alinhe-se com os caminhos de Deus, e Ele cobrará suas dívidas e o reparará por todas as feridas do passado. Realmente é glorioso observá-lo fazer isso.

Estou Desejoso, mas Como?

Escreva sobre todas as dívidas que você tem e sobre tudo que as pessoas lhe devem. Estou falando de débitos no reino espiritual, e não de dívidas financeiras. Escreva por meio delas: "Cancelado"! Diga em voz alta: "Nenhuma pessoa me deve coisa alguma, e eu não devo coisa alguma a ninguém. Cancelo todas essas dívidas e as entrego a Jesus. Ele agora está encarregado de pagar o que me é devido".

Se você feriu alguém, você pode pedir perdão a essa pessoa. Mas, por favor, não gaste sua vida tentando compensar os outros pelo mal que você lhes causou; isso seria inútil. Somente Deus pode fazer isso por eles. Aqui está um exemplo prático.

Enquanto criei meus filhos, eu ainda tinha muitas crises emocionais, por causa do abuso em meu passado. Tendo sido ferida e sem conhecer ainda os caminhos de Deus para fazer as coisas, terminei ferindo meus próprios filhos. Eu vivia reclamando e gritando, eu tinha um mau temperamento e nenhuma paciência. Eu era simplesmente difícil de lidar e de me satisfazer.

Eu ditava muitas regras para meus filhos e lhes dava amor e aceitação quando seguiam as regras, mas ficava furiosa quando eles não as seguiam. Eu não era misericordiosa e não percebia que estava tratando meus filhos da mesma forma que fui tratada quando criança, o que acontece com a maioria das pessoas que foram abusadas.

Como resultado de anos vivendo numa zona de guerra, meu filho mais velho desenvolveu alguma insegurança emocional e problemas de personalidade. Algumas vezes, parecia haver um espírito de contenda entre nós, e geralmente não podíamos ficar perto um do outro. Certamente, após receber o batismo no Espírito Santo e estudar a Palavra de Deus, eu quis reparar o dano que lhe causara e compensá-lo pela forma que o tratara. Você poderia dizer que eu queria *indenizar* meu filho pelo dano que lhe causara.

Na verdade, eu não sabia como reparar o prejuízo que fizera. Desculpei-me, mas não sabia mais o que fazer. Por um tempo, caí na armadilha de pensar que deveria dar-lhe tudo que ele quisesse; mas depois de tudo eu ainda continuava em débito. Meu filho tinha uma personalidade forte e, ao mesmo tempo, ainda não estava caminhando com o Senhor. Ele aprendeu rapidamente como me fazer sentir-me culpada. Ele estava me manipulando e me controlando emocionalmente, assim como tentando usar meu novo relacionamento com o Senhor em seu favor.

Um dia, enquanto eu estava tentando corrigi-lo por seu comportamento, ele respondeu: "Bem, eu não seria dessa forma se você tivesse me tratado direito". Minha reação foi "normal" como de costume; retirei-me para um quarto, sentindome mal a meu respeito.

Contudo, desta vez Deus mostrou-me algo. Ele disse: "Joyce, seu filho tem a mesma oportunidade de vencer seus problemas quanto você. Você o feriu porque alguém feriu você. Você está triste e se arrependeu; não há nada mais que você possa fazer. Você não pode gastar o resto da sua vida tentando reverter o que já foi feito. Eu o ajudarei, se ele permitir que eu o ajude".

Eu sabia que teria de falar com meu filho o que Deus me dissera. Eu o fiz e tomei a decisão de que eu pararia de tentar compensá-lo por meus erros. Ele atravessou um tempo difícil, mas, finalmente, assumiu um compromisso com Deus e começou o seu próprio caminho em direção à cura e à maturidade. Ele é agora diretor de Missões do nosso ministério. Além de meu filho e cooperador em Cristo, ele é também um dos meus melhores amigos.

Realmente encorajo você a examinar essa área em sua vida e permitir que Deus o recompense. Sua recompensa é grande. Há sempre um tempo de espera pelas coisas relacionadas a Deus, mas você deve manter-se fazendo o que sabe que Deus lhe pediu, e seu rompimento virá. Você cometerá erros, mas, quando isso acontecer, apenas se arrependa e prossiga.

Quando um bebê começa a caminhar, ele nunca o faz sem cair algumas vezes. Então, ele apenas se levanta e começa a caminhar novamente rumo ao seu destino. Vá a Jesus como uma pequena criança. Ele está estendendo seus braços para você, caminhando em sua direção. Mesmo se você cair freqüentemente, levante-se e prossiga.

Antes que este capítulo termine, eu gostaria de enfatizar este ponto: não somente caímos em armadilha ao tentar compensar as pessoas que ferimos, mas algumas vezes também cobrando nossas feridas de outros que nada fizeram para causá-las.

Por anos tentei cobrar meus débitos emocionais de meu próprio marido, simplesmente por ele ser um homem e por estar casado comigo. Esse é um problema complicado. Algumas mulheres odeiam todos os homens porque algum homem a feriu. Um garoto que foi ferido por sua mãe pode crescer e passar o resto da sua vida adulta odiando e abusando de mulheres. Esse é um tipo de cobrança de dívida. Por favor, perceba que tal comportamento não resolve o problema e nunca trará um senso interior de satisfação de que a dívida foi finalmente liquidada. Há somente uma maneira de cancelar a dívida, e esta é à maneira de Deus.

18

Livre para Alegrar-Se com os Outros

Uma verdadeira evidência da cura emocional ocorre quando a pessoa que foi abusada pode se alegrar quando outros são abençoados. Em capítulos anteriores, abordamos o princípio ensinado em Romanos 12.14, que diz: "Abençoe aqueles que vos perseguem (que são cruéis em sua atitude com você); abençoe e não amaldiçoe". Mas a Palavra de Deus também nos ensina a "alegrar-nos com os que se alegram (compartilhe da alegria dos outros), e chorar com os que choram (compartilhe o sofrimento dos outros)" (Romanos 12.15).

É fácil para as pessoas abusadas invejarem aqueles que nunca sofreram como elas. Mas sinto que é importante encorajar aqueles que têm sido abusados a evitar serem invejosos e ciumentos para que possam desfrutar a completa cura emocional.

O Senhor colocou essa necessidade em meu coração quando eu estava ministrando uma palavra de encorajamento a várias pessoas num encontro.

Subitamente, meu marido veio à plataforma porque Deus tinha colocado uma forte palavra em seu coração que ele precisava compartilhar. Dave disse: "Cinco ou seis pessoas receberam uma palavra pessoal de Deus por meio da ministração da Joyce. Mas há uma sala cheia de pessoas sentadas aqui que estão sentindo inveja e pensando: *Eu desejaria que isso tivesse acontecido comigo*".

E ele continuou: "Deus claramente falou ao meu coração para que lhes dissesse: 'Até que você fique feliz por outras pessoas quando elas forem abençoadas, você nunca terá esse tipo de coisa acontecendo em sua vida'". Realmente as pessoas ficaram perturbadas ao perceberem que sentiam inveja até mesmo por uma palavra de encorajamento que Deus tinha liberado para outras.

Chegamos até a invejar os dons espirituais que outra pessoa possui. Eu desejava poder cantar e, quando ouvia pessoas com vozes bonitas, pensava: *Eu gostaria de ter uma voz assim.*

Um dia, Deus me disse: "Joyce, coloquei esse dom em outra pessoa para que você o desfrute, e não para que você se ressinta por elas terem algo que você desejaria ter. Não coloquei esse dom nelas por causa delas, Eu o coloquei nelas para edificar você".

Da mesma forma, os dons de Deus que estão em mim são para abençoar as outras pessoas. Meus dons me dão responsabilidade e trabalho árduo, mas o que eles dão às outras pessoas é bênção para elas. Assim, devemos desfrutar os dons dos outros e não sentir inveja. Deus colocou algo em mim para você, mas Ele também colocou algo em você para mim, o que realmente remove a necessidade de sermos invejosos um dos outros.

Creio que uma das maiores causas de inveja é a insegurança, que vem da falta de conhecimento do que significa estar em Cristo.

O diabo mente e nos diz que as outras pessoas são melhores do que nós. Ele nos engana sucessivamente com padrões de pensamentos negativos tais como: *Se eu apenas tivesse o dom que ele possui*; ou, *Se eu apenas fosse como ela*; ou, *Se somente eu pudesse fazer o que eles fazem*. Pensamos que se fôssemos como os outros, então, seríamos tão "bons" quanto eles são. Esse tipo de pensamento errado faz com que nos tornemos cheios de inveja e ciúmes.

Um dos dez mandamentos é: "Não cobiçarás a casa do teu próximo. Não cobiçarás a mulher do teu próximo, nem o seu servo, nem a sua serva, nem o seu boi, nem o seu jumento, nem coisa alguma que pertença ao teu próximo" (Êxodo 20.17-ARA).

Cobiçar significa "desejar com inveja".[11] *Invejar* é definido como "sofrimento ou consciência ressentida de uma vantagem desfrutada por outro, juntamente com o desejo de possuir a mesma vantagem".[12] Ser *invejoso* é a ser "intolerante pela rivalidade", ou "hostil diante de um rival ou de alguém que cremos desfrutar uma vantagem".[13] A pessoa invejosa nem mesmo quer que os outros tenham o que ela tem. Em outras palavras, ser tão bom como qualquer outra pessoa não é suficiente para uma pessoa invejosa. Isso não a satisfaz; ela quer ser melhor do que a outra pessoa.

A lei do Antigo Testamento declarava que uma pessoa tinha de merecer o favor de Deus por meio perfeição e por oferecer continuamente sacrifícios para compensar sua imperfeição. Isso era impossível! Se as pessoas trabalhassem e se esforçassem o suficiente, elas poderiam até ser capazes de manter os primeiros nove mandamentos. Mas esse décimo, "Não cobiçarás", ela não poderia cumprir, pois isso tinha a ver com o coração e o desejo do indivíduo.

Para ser justa pelos padrões da lei, uma pessoa deveria guardar toda a lei de forma perfeita. Guardar a maior parte da lei não era o suficiente. Portanto, todas as pessoas eram enredadas no mandamento contra cobiçar a casa, ou servos, ou qualquer coisa mais que seu vizinho possuísse. Esse mandamento fala clara e expressamente quanto a humanidade precisa desesperadamente de um Salvador. Nós, seres humanos, precisamos de ajuda, ou nunca teremos esperança de estarmos limpos diante de Deus.

Sob a Nova Aliança, a dignidade e o valor de cada pessoa são baseados estritamente em estar "Em Cristo", pela virtude de crer nele totalmente como tudo de que a pessoa precisa. Cristo é a nossa justiça. Somos justos não por possuirmos aquilo que qualquer outra pessoa possui, mas pela fé em Jesus. Compreender essa verdade traz um senso de segurança e elimina completamente a necessidade de sermos invejosos ou ciumentos.

Partes de um Mesmo Corpo

Um dos melhores exemplos que Deus me deu para expressar esse ponto veio à minha mente certo dia, enquanto eu estava ensinando sobre a inveja. Use sua imaginação e pense nisto: tenho um corpo, mas ele é feito de muitas partes. Cada uma das partes do corpo físico é diferente, com formas diferentes, cumprindo funções diferentes e com diferentes capacidades. Algumas são mais visíveis, enquanto outras são ocultas e raramente são vistas (em 1 Coríntios 12, o apóstolo Paulo usa esse mesmo exemplo para comparar o Corpo de Cristo com o nosso corpo físico).

Meus dedos podem colocar um anel, e meus olhos têm o prazer de poder ver o dedo com o anel. Contudo, o olho nunca poderia colocar o anel. Agora, se o olho sentisse inveja e começasse a se lamentar, e quisesse o anel para si mesmo, e se Deus decidisse satisfazer o olho invejoso e atender ao meu pedido, pense na confusão em que meu corpo estaria!

Se você tirar o anel do seu dedo e tentar colocá-lo em seu olho, rapidamente compreenderá essa mensagem. Se o olho estivesse usando um anel, a cabeça teria que de inclinar para trás de tal forma que o olho nunca mais traria direção para o resto do corpo, porque ele seria incapaz de ver.

Portanto, o primeiro ponto a destacar é que quando tentamos ser alguma coisa que Deus nunca pretendeu que fôssemos, isso nos impede de cumprir a função dada por Deus a nós no Corpo de Cristo. Também, se o olho tentasse colocar o anel, seria incapaz de desfrutar do fato de ver o anel no dedo, o que é um prazer que Deus pretendeu que o olho tivesse. Lembre-se: o dedo coloca o anel, mas o olho é que pode vê-lo no dedo. O olho foi criado para desfrutar o fato de ver o que o resto do corpo recebe.

O ponto dois é óbvio: quando uma pessoa está tentando ser alguma coisa que ela não foi destinada a ser, isso a impede de desfrutar aquilo que lhe caberia se tomasse seu correto lugar no corpo e simplesmente se satisfizesse em cumprir a parte que Deus lhe designou. Creio que essa é a razão pela qual muitas pessoas estão indo para o céu, mas não desfrutam a viagem.

Como eu disse, Deus colocou esse exemplo em meu coração enquanto eu ensinava. Ele o ampliou ao usar as mãos e pés como uma ilustração adicional. Pense nisto: quando meus pés ganham um novo par de sapatos, minhas mãos ficam tão satisfeitas que, se meus pés não forem capazes de colocar os sapatos sem ajuda, poderão ajudá-los a entrar nos novos sapatos!

É assim que o corpo deveria agir: nenhuma parte sendo invejosa ou tendo ciúmes da outra. Cada parte sabe que o Senhor a criou exclusivamente para um propósito. Cada parte desfruta a função que lhe foi designada no corpo, percebendo que aos olhos de Deus nenhuma parte é melhor do que a outra.

Ter diferentes funções não significa que uma parte seja inferior à outra. Cada parte é livre para desfrutar e seu lugar ou papel e ajudar as outras partes, quando precisarem, sem qualquer hesitação. A mão não diz ao pé: "Bem, se você pensa que vou ajudar você a colocar seus sapatos, você está enganado! Realmente, penso que eu deveria ter sapatos também! Estou cansada somente de vestir luvas e anéis. Quero sapatos e quero ser como você".

Não! Essa não é a forma de as mãos responderem quando os pés obtêm novos sapatos e precisam de ajuda para calçá-los. Essa não é a maneira que devemos responder quando alguém que conhecemos precisa de alguma ajuda. Devemos estar prontos a dar aos outros toda a ajuda que pudermos para que eles possam se tornar tudo que foram designados a ser e desfrutar e todas as bênçãos que Deus desejou derramar sobre eles.

Pergunte a si mesmo: "Eu estou colocando meu anel em meu olho, ou meus sapatos em minhas mãos"? Se você está, não me admiro de que se sinta tão miserável e sem alegria.

No terceiro capítulo do evangelho de João, os discípulos de João Batista vieram-lhe relatar que Jesus estava começando a batizar, assim como João fazia, e que agora mais pessoas estavam indo para Jesus, e não vindo a ele. Tal mensagem foi levada a João com um espírito errado: pretendendo fazê-lo sentir-se invejoso. Os discípulos que trouxeram o relatório estavam obviamente sentindo-se inseguros e sendo usados pelo diabo, tentando atiçar alguns sentimentos errados em João com relação a Jesus.

João respondeu: "O homem não pode receber [ele nada pode reivindicar, não pode tomar para si mesmo] coisa alguma se do céu [não de alguma outra fonte] não lhe for dada." (João 3.27).

O que João estava dizendo aos seus discípulos era que, seja o que fosse que Jesus estivesse fazendo, tinha sido determinado do céu dessa forma. João sabia o que Deus tinha lhe determinado fazer, e ele sabia o que Jesus tenha sido chamado a fazer. Ele também sabia que uma pessoa não pode ir além do seu chamado e dons. João estava dizendo aos seus seguidores: "Fiquem contentes". Ele sabia que Deus o tinha chamado para ser precursor de Jesus, para preparar o caminho para Ele, e, quando chegasse o tempo de Jesus vir à linha de frente, ele teria que se tornar menos visível para as pessoas.

Aqui estão as palavras de João para seus discípulos em resposta à sua declaração com relação às multidões que estavam seguindo a Jesus: "Convém que Ele cresça e que eu diminua. (Ele deve crescer de forma mais destacada; e eu devo diminuir cada vez mais.)" (João 3.30). Que gloriosa liberdade João desfrutava! É maravilhoso sentir-se tão seguro em Cristo que não tenhamos de estar em competição com qualquer outra pessoa.

Livre da Competição

O apóstolo Paulo escreveu: "Não nos tornemos vangloriosos ou presunçosos, competitivos e desafiadores e provocadores e irritando uns aos outros, e invejando e enciumando-nos uns dos outros" (Gálatas 5.26).

Pelo contrário, Paulo nos exortou a crescermos no Senhor até chegarmos a "ter uma satisfação pessoal e alegria de fazer algo recomendável [em si mesmo somente] sem [recorrer à] comparação vangloriosa" (Gálatas 6.4).

Graças a Deus, pois, uma vez que sabemos quem somos em Cristo, somos livres do estresse da comparação e competição. Sabemos que somos dignos e valorosos, a despeito das nossas obras e realizações. Portanto, podemos fazer o nosso melhor para glorificarmos a Deus e não tentarmos ser melhores que qualquer outra pessoa.

Freqüentemente as pessoas perguntam a meu marido e a mim o que significa para ele ser casado com uma mulher que faz as coisas que eu faço. Sou a voz que aparece no rádio, o rosto que aparece na televisão! Sou aquela que fica na plataforma em frente às pessoas. Sou aquela que é mais vista e comentada. Em outras palavras, sou o foco de atenção do nosso ministério. Dave é o administrador, uma função importante, mas de retaguarda. Seu trabalho está por trás dos bastidores, e não em destaque como o meu.

Nossa situação é peculiar e diferente daquilo que costuma acontecer. Geralmente, na equipe, é o homem que ocupa o local de destaque, enquanto sua esposa trabalha por trás dos bastidores para ajudá-lo. Acontece que meu marido sabe seguramente que seu senso de dignidade e valor não são afetados pelo que ele faz ou não faz. De fato, ele é tão seguro nisso (em obediência ao Senhor) que é capaz de me ajudar a ser tudo o que posso ser em Cristo. Ele está satisfeito em me ajudar a cumprir o chamado de Deus em minha vida e, nesse processo, a cumprir aquilo que Deus deseja para sua própria vida.

O chamado e a posição de Dave certamente são tão importantes quanto os meus. Simplesmente não são notados pelo público. Como administrador do ministério, ele supervisiona as finanças, os contratos com emissoras de rádio e televisão interessadas em transmitir o programa *Desfrutando a Vida Diária*, observando cuidadosamente todas as estações que já exibem nosso programa, para estar certo de que estão dando bom fruto e gerenciando todos os detalhes com relação às nossas viagens.

Em nossos encontros, Dave gosta muito de trabalhar atrás da mesa onde nosso material de ensino é exibido, para conversar com as pessoas e ministrar a elas. Tenho lhe pedido numerosas vezes que compartilhe a plataforma comigo, e sua resposta tem sempre sido a mesma: "Esse não é o meu lugar. Conheço o meu lugar e vou permanecer nele". Essa é a declaração de um homem maduro e seguro.

As pessoas têm a tendência de perguntar a Dave: "Você é o marido da Joyce"? Ele geralmente responde: "Não, Joyce é minha esposa".

Dave cumpre muitas, muitas funções importantes em nosso ministério, mas, ao resumir seu papel, ele geralmente diz: "Fui chamado por Deus para ser a cobertura da Joyce, para colocá-la onde Deus quer que ela esteja. Eu me certifico de que ela não será ferida e velo para que ela não tenha problemas".

Algumas vezes, há coisas que quero fazer e que Dave não permite, porque ele sente que não seria prudente ou que não é o momento. Não digo que seja sempre fácil submeter-me aos desejos dele se não estão de acordo com os meus, mas tenho aprendido que seus dons trazem equilíbrio à nossa vida e ao nosso ministério compartilhado.

Dave lutou contra a nossa situação por vários anos no início. Realmente, ele não queria estar no ministério de forma alguma. Contudo, Deus lhe mostrou que me dera o dom de ensinar Sua Palavra. Dave diz: "Deus não me pediu para me submeter à minha esposa, mas Ele para me submeter ao dom que Ele colocou sobre ela". Ele diz que Deus mostrou-lhe que o dom era do Senhor e que, ao submeter-se ao dom e ao permitir-me fazer o que Ele me chamara a fazer, estava se submetendo ao próprio Deus.

Ele não somente permitiu-me fazer o que Deus me chamou para fazer, mas me ajuda a fazê-lo. Considero uma grande honra ser casada com Dave Meyer. Até onde sei, ele é o melhor homem que já conheci. Ele também é a pessoa mais feliz e realizada que conheço.

Quando digo que Dave está sempre feliz, digo-o honestamente. Ele desfruta a vida em plenitude. Creio, assim como Dave, que essa alegria é resultado da sua submissão a Deus e por não tentar tornar-se algo que Deus não lhe chamou para ser. Ele não está em competição com ninguém, ele não está tentando provar algo a qualquer pessoa.

Seguramente Enraizado e Firmado

Minha oração no início deste livro foi: Que vocês possam estar profundamente arraigados e fundamentados seguramente em amor, para que tenham o poder e sejam fortes para compreender e apreender com todos os santos [pessoas devotadas a Deus, a experiência desse amor], qual é a largura, o comprimento, a altura, e a profundidade [desse amor] (Efésios 3.17-18).

Quando somos libertos da necessidade de competir com os outros, somos livres para ajudá-los a ser bem-sucedidos. Quando realmente sabemos quem somos, não temos e gastar nossa vida tentando provar nossa dignidade ou valor para nós mesmos ou para os outros.

Dave sabe que ele é importante para Deus e, assim, o que o mundo pensa da sua posição comparando-a com a minha não importa para ele de forma alguma. Creio que a decisão e a vida de Dave podem ser um testemunho para muitos. Há muito a ser realizado no Reino de Deus, e será feito da melhor maneira se todos trabalharmos juntos na capacidade individual que Deus destinou a cada um.

Vamos deixar de lado o ciúme, a inveja, a competição e a comparação. Lembre-se; esses problemas são enraizados na insegurança. A boa nova é que podemos ser livres de insegurança e, portanto, livres dos problemas que ela causa. Isaías 54.17 diz: "Esta [paz, justiça, segurança, triunfo sobre a oposição] é a herança dos servos do Senhor". Isso significa que parte da nossa herança como filhos e filhas de Deus é a segurança! Comece a desfrutar sua herança agora.

Alegre-se pelos outros e desfrute o contentamento, a satisfação, a paz e a alegria que vem de saber que Deus o ama e vê você como justo e valoroso por meio da sua fé em seu Filho Jesus Cristo. Seja firmemente enraizado e seguramente firmado no amor de Deus por você.

19

Estabilidade Emocional

ANTERIORMENTE, NESTE LIVRO, mencionei a expressão "distúrbios de comportamento" para descrever tipos de comportamento que podem ser desenvolvidos quando uma pessoa foi abusada e tem uma natureza baseada na vergonha. Neste capítulo, gostaria de lidar especificamente com o que chamo de "vícios emocionais" e como quebrá-los para se desfrutar estabilidade emocional.

Nesse contexto, um *vício* pode ser definido como um comportamento compulsivo, freqüentemente em resposta a algum estímulo, sem que se tenha consciência disso. As pessoas que foram feridas tendem a reagir em vez de agir. O que quero dizer é que elas tendem a reagir com base em suas emoções feridas, em vez de agir de acordo com a sabedoria e a Palavra de Deus.

Por muitos anos, sempre que enfrentava uma situação ou alguém que me lembrava meu passado, respondia emocionalmente, reagindo com medo, em vez de agir pela fé. Esse tipo de incidente pode ser bastante confuso para as vítimas feridas, porque tudo acontece tão rapidamente que elas realmente nem mesmo compreendem por que estão agindo dessa forma.

Por exemplo, a pessoa que abusava de mim tinha uma personalidade muito forte e dominante. Estive sujeita a tanta manipulação e controle durante toda a minha infância que decidi e repetidamente prometi a mim mesma que, quando fosse adulta o suficiente para deixar minha casa e cuidar de minha própria vida, ninguém mais me controlaria novamente.

Nos anos subseqüentes, adquiri uma visão deturpada sobre autoridade. Eu via todas as figuras de autoridade como minhas inimigas. Temia tanto ser controlada e manipulada que quando qualquer pessoa em minha vida tentava me dizer o que fazer, eu não queria fazê-lo. Reagia com ira ou afastamento. Freqüentemente os incidentes eram bem insignificantes. Até mesmo uma sugestão de alguém que não estava em linha com meus desejos podia me fazer agir de forma estranha. Assim como as outras pessoas, eu não compreendia minhas ações. Logicamente sabia que estava agindo incorretamente, e não queria agir dessa forma, mas eu parecia sem capacidade para mudar.

Deus começou a me ensinar sobre vícios emocionais mostrando-me que, da mesma forma como as pessoas se tornam viciadas em certas substâncias químicas em seu corpo físico (isto é, drogas, álcool, nicotina, cafeína, açúcar), elas podem também desenvolver vícios mentais e emocionais. Lembre-se: um *vício* é um comportamento compulsivo sem que se tenha consciência disso. Minhas reações violentas eram basicamente uma forma de dizer aos outros: "Vocês não vão me controlar"!

Eu tinha tanto medo de ser controlada que reagia de forma exagerada em qualquer situação, tentando me proteger mesmo quando não havia um problema real. A raiva dizia: "Eu não deixarei você me controlar"! E o afastamento dizia: "Recuso-me a envolver-me com você"! Uma pessoa não pode ser ferida se ela se recusa a se envolver com outra. Portanto, quando qualquer coisa dolorosa que ocorria em meus relacionamentos, ou eu atacava, ou me recusava a lidar com aquilo. Ambos os comportamentos estão fora de equilíbrio e não são bíblicos; eles somente aumentam o problema ao alimentá-lo.

Provavelmente, se uma pessoa é viciada em drogas, então, quanto mais drogas tomar, mais dependente se tornará. Quanto mais ela permitir que seu vício a controle, mais o vício exigirá dela. Finalmente, isso a consumirá. O vício deve ser quebrado. Isso significa negar à carne a substância com a qual está acostumada e passar pela dor da negação para poder se livrar daquilo. Esses princípios também se aplicam aos vícios mentais ou emocionais.

Viciada em Preocupação e em Racionalizar

Um dos meus vícios mentais era a preocupação. Eu me preocupava, e preocupava, e preocupava. Mesmo quando não havia nada para me preocupar, eu encontrava algo. Desenvolvi um falso senso de responsabilidade, sempre tentando resolver problemas pelos quais não tinha qualquer responsabilidade ou solução. Raciocinava, imaginava e vivia em constante confusão.

Como resultado, minha mente estava continuamente cheia de preocupação e argumentação. Embora isso me deixasse física e mentalmente exausta e roubasse qualquer vestígio de alegria em minha vida, eu não sabia como controlá-lo. Preocupação e raciocínio eram minhas respostas automáticas para qualquer problema. Embora meu comportamento fosse anormal, era normal para mim, porque essa era a forma que eu sempre reagia aos problemas.

A Palavra de Deus diz: "Confie (apóie-se, conte com, tenha fé) no Senhor" (Salmos 37.3). Contudo, confiar não é uma coisa fácil se você foi abusado. As pessoas em que você confiou para cuidarem de você não o fizeram; ao contrário, elas o usaram. Elas o feriram terrivelmente, e assim você fez uma promessa de que ninguém mais o feriria novamente. Você não esperará para descobrir se alguém irá feri-lo ou não; você simplesmente construirá muros de proteção ao seu redor para guardar-se de tais feridas.

Uma das formas de buscar proteger a si mesmo é tentar imaginar tudo. Isso o fará pensar que tem tudo sob controle e não será surpreendido com nada.

Quando Deus começou a trabalhar em minha vida, Ele me mostrou claramente que eu era viciada em preocupação e raciocínio, e tinha de desistir disso. Se havia um problema em minha vida e eu não conseguia resolvê-lo, então me sentia totalmente descontrolada. Você deve se lembrar que eu desejava estar no completo controle a respeito de tudo ao meu redor, pois dessa forma eu pensava que não seria ferida.

Eu cria que podia tomar conta de mim mesma e que ninguém mais poderia fazê-lo.

Negue a Si Mesmo

Jesus disse: "Se alguém pretende vir após Mim, nega-se a si mesmo [esqueça a si mesmo, ignore-se, prive-se, perca de vista a si mesmo e a seus próprios interesses] e... siga-me [continuamente, apegando-se firmemente em mim]" (Marcos 8.34).

À medida que o Senhor continuou a trabalhar comigo de sua forma paciente, Ele me ensinou que eu podia confiar nEle e acreditar que Ele estava trabalhando em meu problema mesmo quando eu não estava. Minha parte era permanecer em fé e recusar-me a me preocupar ou raciocinar. Tive de negar à minha mente o comportamento viciado a que estava acostumada, e, à medida que o fazia, finalmente, fiquei totalmente livre daquilo.

Eu ainda tinha alguns sintomas de retraimento, sentia-me temerosa, sem controle e, até mesmo, tola, às vezes. (O diabo tentará tudo para manter uma pessoa em escravidão, mesmo fazendo-a sentir-se ridícula.)

Em Marcos 8.34, Jesus ensina que, para segui-lo, devemos negar a nós mesmos e à nossa maneira de agir, e escolher o caminho do Senhor. Meu caminho era tomar conta de mim mesma, mas o caminho de Jesus é nos entregarmos em suas mãos e aprender pela experiência que Ele nunca nos deixará nem nos abandonará (veja Hebreus 13.5). Para aprender essa verdade, de que primeiramente desistir do meu próprio caminho.

Como uma Criança Desmamada

O salmista deve ter experimentado as mesmas coisas que estamos abordando neste capítulo quando escreveu: "Certamente eu tenho acalmado e aquietado a minha alma; como uma criança desmamada com sua mãe; como uma criança desmamada é minha alma comigo [cessando de espernear]" (Salmos 131.2). Ele até menciona o fato de sua alma ser desmamada.

A alma, freqüentemente, é definida como mente, vontade e emoções. Nós vemos nesse versículo que essas áreas podem se tornar viciadas em certos tipos de comportamentos, assim como o corpo pode se viciar com certos tipos de substâncias.

Ao negar à minha mente o privilégio de preocupar-se ou raciocinar, eu estava desmamando meu vício mental, assim como um bebê é desmamado de sua mamadeira ou chupeta. E, assim como um bebê tem crises de choro e tenta todo tipo de coisa para obter a mamadeira ou a chupeta de volta, eu também tinha crises de raiva, de choro e de autopiedade. Houve até ocasiões em que tive ataques de medo, mas continuei a trilhar os caminhos de Deus até ser totalmente liberta de fazer as coisas à minha maneira.

Jesus disse que Ele veio para libertar os cativos (veja Lucas 4.18) e aquele que o Filho libertar será livre de fato (veja João 8.36).

20
Intimidade e Confiança

PARA UMA PESSOA que foi abusada, ter intimidade, freqüentemente, é muito difícil. Intimidade requer confiança, e, uma vez que o fator confiança foi destruído, deve ser restaurado antes de a intimidade ser algo confortável.

Já que pessoas sempre ferem pessoas, não podemos confiar que elas nunca nos machucarão. Não posso lhe dizer: "Apenas confie nas pessoas; elas não o ferirão". Eles podem não ter a intenção de ferir você, mas temos de enfrentar a realidade de que pessoas ferem pessoas.

Como já mencionei, embora meu marido seja um homem agradável, maravilhoso e amável, há momentos em que ele me fere, assim como há momentos em que eu o firo. Mesmo pessoas que se amam, às vezes, se ferem ou se desapontam mutuamente.

Levou muitos anos até que eu me sentisse confortável para ter intimidade com meu marido e poder honestamente dizer que desfrutava minha vida sexual. Eu tinha tanto medo de ser ferida e de que alguém se aproveitasse de mim que eu não conseguia relaxar. Minha atitude básica era: "Se temos de fazer isso, então vamos logo, assim eu posso esquecer do assunto e continuar a fazer qualquer outra coisa". Certamente, meu marido percebia minha atitude, embora eu tentasse ocultar meus sentimentos verdadeiros e fingir que desfrutava nosso relacionamento sexual.

Minha atitude fazia Dave se sentir rejeitado, e se ele não fosse um homem cristão maduro, com algum discernimento do Senhor sobre o que ocorria comigo, minha atitude poderia ter causado sério dano ao seu conceito a respeito de si mesmo como homem e como marido. Certa vez, ele me disse: "Se eu dependesse de você para saber que tipo de homem eu sou, eu estaria em sérios problemas".

Sou grata ao Senhor por me ter dado um cristão maduro como marido. Sou grata por não tê-lo destruído enquanto estava sendo curada. Freqüentemente, pessoas problemáticas se casam com pessoas problemáticas. Após eles se destruírem mutuamente, seus problemas são transferidos para os filhos que, por sua vez, se tornam a geração seguinte de pessoas problemáticas e atormentadas.

Por muitos anos evitei tratar dessa questão. Mas, dentro de mim, eu sabia que precisava lidar com minha atitude com relação ao sexo e à intimidade, mas continuava a adiá-la mês após mês, ano após ano. Você tem uma tendência a adiar as coisas que Deus está tentando fazer que você resolva? Fazemos isso porque algumas questões são bastante dolorosas para se pensar a respeito, quanto mais para serem enfrentadas.

Finalmente, tomei a decisão de parar de protelar e resolvi enfrentar a verdade. Nessa situação, a verdade era a seguinte: 1) eu tinha um problema, mas eu estava punindo Dave por isso; 2) ele tinha sido muito paciente comigo, mas chegara o momento de lidar com o problema; 3) enquanto eu continuasse a me comportar daquele jeito, o diabo continuaria a me derrotar porque eu estava permitindo que meu passado afetasse meu presente e meu futuro; 4) adiar o problema seria nada mais do que diretamente desobedecer ao Espírito Santo.

Certamente, tive muito medo. Nem mesmo sabia como começar. Lembro-me de ter clamado a Deus: "Mas como o Senhor quer que eu confie em Dave? E se ele se aproveitar de mim? E se...". O diabo nunca deixa os "E se...".

Especificamente me lembro de o Senhor ter-me dito: "Não estou pedindo que você confie em Dave; estou pedindo que confie em Mim". Isso colocava a questão numa perspectiva totalmente diferente. Era mais fácil confiar em Deus do que nas pessoas, e foi assim que comecei.

Simplesmente me comprometi a fazer o que Senhor colocasse em meu coração e a confiar nEle com relação aos meus sentimentos sobre o assunto. Por exemplo, sempre quis as luzes apagadas, enquanto eu e Dave fazíamos amor. Eu me recordo de que comecei a sentir em meu coração que deveria deixá-las acesas, e assim fiz. Isso era difícil, mas, uma vez que assim o fiz algumas vezes, foi ficando mais fácil. Agora sou livre para deixar as luzes acesas ou não; isso não importa mais, porque não estou me escondendo de ninguém.

Outro exemplo: eu nunca me aproximava de Dave para demonstrar algum interesse em ter sexo com ele. Muitas vezes eu o desejava, meu corpo físico tinha necessidade, mas eu não lhe demonstrava isso. Comecei a perceber que, quando sentia que o desejava, eu precisava tomar alguma atitude para deixá-lo saber. Isso era particularmente difícil para mim, porque eu sempre senti que sexo era algo errado e sujo, porque ele assim fora inicialmente apresentado na minha infância.

Minhas primeiras experiências sexuais foram pervertidas, por isso minha atitude diante do sexo era pervertida. Mentalmente, eu sabia que sexo era originalmente uma idéia de Deus, mas eu não conseguia superar esses sentimentos. Novamente, tomar uma "atitude em obediência" quebrou o laço da escravidão, e agora sou livre nessa área também.

Por favor, compreenda que quando o Espírito Santo o orienta a fazer algo, Ele o faz para ajudá-lo, para abençoá-lo e torná-lo livre de alguma forma. *O Espírito Santo é o Ajudador e somente tem seu bem em mente*. As pessoas podem feri-lo, mas Deus não o fará.

Algumas das coisas que Ele o leva a enfrentar podem doer por um tempo, mas Deus finalmente trabalhará nelas para seu bem.

E, à medida que continuei nesse processo de escolher fazer o que Deus me mostrava, fui desfrutando progressiva liberdade, e assim será com você. Houve muitos exemplos que eu poderia mencionar aqui, mas penso que você já compreendeu o que estou dizendo. Você terá suas próprias situações a enfrentar, e o Espírito Santo caminhará ao seu lado no seu processo de cura com relação à intimidade e confiança.

Recuse-se a viver o resto da sua vida numa prisão de suspeita e medo!

Confie no Senhor

Sei que mencionei isso em outras paginas deste livro, mas sinto que devo dizê-lo novamente. Algo que me ajudou muito na área da confiança, assim como em outras áreas, foi simplesmente perceber que Deus não está nos pedindo para colocar nossa confiança em pessoas, mas nEle.

Podemos também aprender a confiar nas pessoas de forma equilibrada. Se não estivermos em equilíbrio, seremos feridos. Freqüentemente, Deus usa essas situações para nos ensinar a sabedoria de manter os relacionamentos em equilíbrio.

Ao lidar com essa questão, sempre me lembro de Jeremias 17:

> Maldito [com grande mal] o homem que confia no homem, faz da carne mortal, do homem frágil, o seu braço e aparta a sua mente e o seu coração do Senhor! Porque será como o arbusto nu e solitário no deserto e não verá quando vier o bem; antes, morará nos lugares secos do deserto, na terra salgada e inabitável (versículos 5-6).

Pense sobre esses versículos. Eles dizem claramente que seremos amaldiçoados (teremos problemas) se devotarmos ao homem a confiança que pertence somente ao Senhor. O braço da carne mencionado aqui pode se referir a confiar em si mesmo ou nos outros.

Quando confio em mim mesma, tentando satisfazer minhas necessidades, falho; e quando busco que outros satisfaçam minhas necessidades eles falham comigo. O Senhor quer ter a permissão de satisfazer nossas necessidades. Quando buscamos a Deus, Ele freqüentemente usa pessoas para satisfazer nossas necessidades, mas estamos buscando-O e dependendo dEle, não de pessoas por meio das quais Ele trabalha, e esse é o equilíbrio que Ele requer de nós.

E agora a boa nova: "[bastante] abençoado é o homem que crê, confia e se apóia no Senhor, cuja esperança e confiança está no Senhor (v. 7)".

Houve momentos no passado em que me senti desencorajada e bastante irada com as pessoas ao meu redor, porque elas não me davam o encorajamento de que eu precisava. Como resultado, eu tinha uma ressentida atitude de autopiedade que minha família e outros não podiam compreender. Isso certamente não resultava em ter minhas necessidades supridas porque eu estava buscando as pessoas quando deveria buscar ao Senhor.

O Senhor me ensinou que quando eu precisasse de encorajamento deveria pedir a Ele. Quando aprendi a fazê-lo, descobri que Ele providenciaria o encorajamento necessário por meio da fonte que Ele escolhesse. Aprendi que não era necessário colocar pressão nos relacionamentos num esforço de obter das pessoas o que somente Deus poderia me dar. O versículo seguinte dessa passagem anuncia a esperança que temos ao colocar nossa confiança em Deus:

> Pois ele será como árvore plantada junto às águas que estendem suas raízes até o ribeiro; e não deverá perceber e temer quando o calor chegar; mas sua folha será sempre verde. Não ficará ansioso e preocupado no ano da seca, nem cessará de produzir frutos (versículo 8).

Esse versículo nos assegura que, quando colocamos nossa confiança em Deus em vez de no braço frágil da carne, nos tornamos *estáveis*. Enfatizo essa palavra porque ela é muito importante para nossa abordagem. Nunca haverá qualquer prazer em desfrutar a vida sem um senso de estabilidade.

Deixe esses versículos encorajá-lo a colocar sua confiança em Deus, e não em pessoas. *Não busque nos outros a satisfação de suas necessidades; busque em Deus. Tudo o que as pessoas puderem fazer por você Deus pode determinar.*

Um pensamento final com relação à intimidade: Deus nos criou para desfrutarmos totalmente um ao outro. Em particular, a Bíblia diz que marido e esposa devem desfrutar um ao outro, conforme escrito em Provérbios 5.18: "Seja bendito [com as recompensas da fidelidade] o teu manancial [de vida humana] e alegra-te com a mulher da tua mocidade".

Parte de desfrutar seu cônjuge e seu casamento é desfrutar intimidade. Tome um passo de fé e perceba que o medo de ser ferido pode estar ferindo você muito mais do que enfrentar esse medo e encontrar a liberdade. Confie em Deus com relação às pessoas em sua vida. Você pode não ser capaz de lidar com elas, mas Deus é.

A Importância de Equilíbrio nos Relacionamentos

Pergunte a si mesmo se você tem qualquer relacionamento que esteja fora de equilíbrio. Há alguém em sua vida de quem você é muito dependente? Quando você tem problemas, você corre para o trono ou para o telefone? Você está buscando por pessoas para mantê-lo feliz ou está buscando ao Senhor?

Lembro-me de um tempo em que fui atacada pelo medo de que algo pudesse acontecer ao meu marido. Comecei a pensar: *O que eu faria se Dave morresse?* Era um tipo de pensamento cheio de pânico, que era incomum para mim. Eu nunca antes pensara nisso. Como a maioria de mulheres que têm bons casamentos, dependo muito do meu marido. Dave é bom para mim, e, quando eu pensava em todas as coisas boas que ele fazia por mim, eu me tornava mais e mais assustada.

Então, o Senhor disse algo profundamente ao meu coração: "Joyce, se Dave morresse, você se manteria fazendo exatamente o que faz. Não é Dave que está sustentando você e quem a faz agir da forma que age, sou Eu; assim, coloque sua confiança em mim, que é onde ela deve estar. Confie em Dave, mas não saia do equilíbrio".

Um exemplo final que eu gostaria de compartilhar com você diz respeito a determinado relacionamento de amizade em minha vida. A intimidade sexual não é a única forma de intimidade que precisa ser restaurada na vida das pessoas feridas. Aqueles que sofreram abuso freqüentemente experimentam dificuldades de manter qualquer tipo de relacionamento. Seu relacionamento conjugal é afetado, e Satanás também busca usar suas feridas e desapontamentos para arruinar *todos* os seus relacionamentos íntimos.

Como muitos outros no mundo, não somente fui abusada nos meus primeiros anos em meu lar, mas, mesmo depois que me livrei dessa situação, continuei a ser facilmente ferida por qualquer pessoa que encontrava. Quando, finalmente, me casei e comecei a freqüentar uma igreja, pensava que certamente as pessoas da Igreja não me feririam. Mas logo descobri que o sofrimento não acabara simplesmente porque me tornara membro de uma igreja. De fato, de alguma forma, ele se tornou mais sério. Como resultado do abuso, eu não confiava nos homens porque foi um homem que me ferira, o que afetava minha intimidade conjugal. Eu também havia sido ferida duramente por amigos e parentes várias vezes, e assim, honestamente, eu tinha medo de confiar em qualquer pessoa.

Com o passar dos anos e com o fato de Dave e eu nos envolvermos no ministério em tempo integral, um casal veio trabalhar conosco. Eles foram, definitivamente, enviados pelo Senhor. Eles eram ungidos por Deus para serem nossos "fiéis escudeiros". Isso significava que eles oravam por nós regularmente, trabalhavam lado a lado conosco e estavam disponíveis para fazer o que fosse preciso, sempre que algo era necessário. Eles eram muito bons para nós e facilitaram bastante nossa vida.

A abrangência do nosso ministério teria sido muito diferente se não tivéssemos esse maravilhoso casal ou alguém como eles para nos ajudar. Por causa dos anos de sofrimento que eu tinha experimentado, não abri meu coração tão prontamente, mas, com o passar do tempo, vim a confiar nessas pessoas e a depender muito delas.

Um dia, li o versículo no qual o salmista disse: "Mesmo o meu próprio amigo íntimo, em quem confiei (me apoiei e acreditei), que comia do meu pão, levantou seu calcanhar contra mim" (Salmos 41.9). Eu sabia que esse versículo se aplicava a mim e comecei a me perguntar sobre o que o Senhor estaria me alertando. Eu sabia que Ele estava tentando me mostrar algo, porque eu deparava sobrenaturalmente com esse versículo várias vezes. Comecei a me perguntar se Ele estaria me mostrando que esse casal estava prestes a me ferir.

Finalmente, o Senhor fez-se claro o suficiente para que eu compreendesse que Ele estava apenas me alertando a não deixar nosso relacionamento sair do equilíbrio. Ele me ensinou que poderíamos ter um relacionamento íntimo, desfrutar anos de fidelidade, serviço leal, e produzir bastante fruto para seu reino. Mas eu estava sendo especificamente alertada a não colocar a confiança, que pertence somente a Deus, naqueles pessoas. O Senhor me fez perceber que Ele tinha trazido esse casal para minha vida, e Ele certamente os afastaria se eu colocasse meus olhos neles como minha fonte de ajuda em vez de conservar minha confiança em Deus.

Mesmo a intimidade numa boa amizade é algo bíblico, mas não deve sair do equilíbrio. Pensem em Davi e Jônatas. A Bíblia diz: "A alma de Jônatas se ligou com a de Davi; e Jônatas o amou como à sua própria alma" (com 1 Samuel 18.1-ARA). Eles ajudaram um ao outro e desfrutaram um relacionamento de aliança. Um bom relacionamento é muito importante, mas tem de estar em equilíbrio.

Enfatizo a importância de equilíbrio porque o apóstolo Pedro diz: "Sejam sóbrios... pois vosso adversário, o diabo, anda em derredor como um leão rugindo [com fome feroz], buscando alguém para devorar" (1 Pedro 5.8). Permaneça em equilíbrio, e o diabo não será capaz de devorar você ou seu relacionamento com os outros.

21

Peça e Receba

A BÍBLIA DIZ em Tiago 4.2(ARA): "Nada tendes, porque não pedis". Eu me lembro de que isso foi uma grande revelação para mim porque eu estava tentando fazer as coisas acontecer baseada na minha própria força, de acordo com meu próprio plano e como resultado de minhas próprias obras. Estava tentando mudar a mim mesma, tentando mudar meu marido, tentando mudar minhas circunstâncias, tentando me livrar de todas as coisas do meu passado que me feriram. Mas não estava pedindo ajuda a Deus.

Quando Deus me revelou que eu não tinha coisas boas porque não estava Lhe pedindo, comecei a pedir-Lhe tudo o que eu desejava e de que necessitava.

A Bíblia diz: "Deleite-se também no Senhor, e Ele lhe concederá os desejos e petições secretas de teu coração" (Salmos 37.4). Deus começou a fazer muitas coisas por mim como resultado dos meus pedidos, provando-me que Ele queria cuidar de mim. Ele mostrou-me que se eu lhe pedisse algo, indo a Ele como uma pequena criança, então *Ele* faria isso por mim, *Ele* cuidaria de mim, *Ele* satisfaria minhas necessidades.

Você pode estar lendo este livro porque espera obter cura do seu passado de sofrimentos, precisando que Deus cure seu coração ferido ou está cansado de se sentir confuso e frustrado, como eu me sentia. Talvez você precise pedir a Deus por ajuda. Se é assim, simplesmente ore:

Senhor, cure-me. Peço ao Senhor por um rompimento. Dê-me uma resposta. Mostre-me a direção que preciso seguir. Ajude-me, Senhor.

Peça em Nome de Jesus

Creio que pode haver uma dúvida em seu coração antes que você possa vir a crer que Deus satisfaz suas necessidades. Uma importante chave com relação a seu rompimento está em João 16.24. Jesus estava falando a seus discípulos pouco antes da sua crucificação, quando Ele disse: "Até agora vocês não pediram uma [simples] coisa em Meu nome [apresentando tudo o que Eu sou]; mas agora, peçam e mantenham-se pedindo, e vocês receberão, para que a sua alegria (satisfação, deleite) possa ser plena e completa".

A *Bíblia Amplificada* nos diz que isso significa pedir em nome de Jesus. Se você puder compreender o que significa pedir em nome de Jesus, isso lhe colocará num novo nível, habilitando-o para o milagre de que você necessita.

Pedir em nome de Jesus significa apresentar ao Pai tudo o que Jesus é. Portanto, quando estamos diante do Trono, não apresentamos quem nós somos, mas a autoridade que Jesus tem por causa de seu relacionamento de aliança com o Pai.

Não estamos apresentando nosso próprio registro de boas obras. Não temos perfeição para apresentar. Mas vamos diante do Pai e dizemos: "Senhor, venho em nome de Jesus". Quando fazemos isso, estamos realmente dizendo ao Pai: "Eu estou apresentando ao Senhor o que Jesus é".

Quando você vai a algum lugar em nome de alguém, você vai com a autoridade que aquela pessoa representa. Por exemplo, tenho um bom relacionamento com o nosso pastor em St. Louis. Considero-o um bom amigo nosso. Eu poderia ir até seu escritório e dizer aos seus funcionários: "É importante que eu veja o pastor agora". Seus funcionários me reconhecem e confiam em mim o suficiente para me deixar entrar.

Mas, se eu não pudesse ir pessoalmente, enviaria alguém que não fosse conhecido no escritório do pastor. Se essa pessoa simplesmente dissesse "Eu preciso ver o pastor agora", o assistente do pastor, provavelmente, não o deixaria entrar. Mas, se ele dissesse "Joyce Meyer me enviou", os funcionários o receberiam em meu nome por causa do relacionamento que tenho com o pastor.

Esse é um exemplo do que significa orar em nome de Jesus; eis por que você pode esperar ter suas necessidades atendidas quando você vai a Deus, o Pai, em nome de seu Filho, não porque você o merece. Se há alguma coisa que estou tentando lhe ensinar nestas poucas páginas é que não merecemos nada de Deus, exceto talvez morrer e sermos punidos eternamente. Mas Ele fez uma nova aliança conosco para nos dar o que só Jesus merece. Essa abençoada aliança imerecida é a glória da mensagem da graça.

Não merecemos nada, mas obtemos o que Jesus conquistou e mereceu. E isso é de graça! *Graça* é uma palavra empolgante. Não temos de tentar merecer bênçãos com nossas boas obras ou um bom comportamento. Em João 16.24 (parafraseando), Jesus disse: "Até agora você não tem pedido uma coisa sequer em *meu nome* (isto é, apresentando tudo o que Eu sou)". Nesse mesmo versículo, Ele nos deu nova instrução: "Mas agora", Ele disse, "peça, *e você receberá*, e assim a sua alegria será completa". Jesus deu duas instruções aqui: "Não apenas peça, mas peça e receba, para que sua alegria possa ser completa".

Recebendo as Bênçãos de Deus

Muitas pessoas simplesmente não sabem como receber de Deus. Por exemplo, elas gastam metade da vida clamando a Deus para Ele lhes perdoar por algum pecado, mas elas nunca recebem o perdão. Elas apenas permanecem na atitude de pedir. Pedi perdão por vários anos, toda noite, de fato.

Quando Dave e eu nos casamos, eu não sabia muito sobre a Palavra de Deus. Íamos à igreja, eu amava a Deus, era nascida de novo, mas, certamente, eu não sabia quem eu era em Cristo, e ainda tinha um coração ferido. Creio que uma das coisas a respeito de ser ferido é ter a personalidade danificada.

Se nossa personalidade foi danificada e ferida, então não funcionamos da forma que Deus planejou. Cada pessoa deveria ser um indivíduo saudável e equilibrado. Mas o diabo quer nos levar a um ponto em que sejamos feridos em nossa personalidade. Quando isso acontece, podemos tentar nos relacionar uns com os outros, mas nossos relacionamentos simplesmente não funcionam.

Como já mencionei, eu costumava ajoelhar-me ao lado da minha cama toda noite e clamar: "Oh Deus, perdoe-me. Deus, perdoe-me. Deus, perdoe-me". Toda noite, eu repetia essa oração: "Deus, perdoe-me. Oh, Deus, perdoe-me". Eu ainda estava falando sobre a carga da culpa que eu carregava desde minha adolescência e os primeiros anos de juventude.

Isso prosseguiu por vários anos, até o dia em que eu ouvi o Senhor me dizer: "Joyce, eu lhe perdoei da primeira vez que você me pediu. Agora você precisa perdoar a si mesma". Ouvir a voz de Deus não era algo comum para mim naqueles dias, mas compreendi que o Senhor estava me dizendo que eu precisava receber o perdão dEle.

Se você pedir a alguém um copo com água e essa pessoa lhe der a água mas você recusar-se a tomá-la, o que o indivíduo pensará a respeito? Seria sem sentido você dizer "Estou com sede; alguém me traga água, pois estou com sede" e, então, apenas permanecer segurando o copo de água que você já recebeu. Se você não beber a água, sua sede não será saciada.

Você pode ter recebido a Palavra a respeito do perdão, mas pode não ter se decidido a crer nela. Pode querer sentir-se perdoado primeiro. Mas nunca se sentirá perdoado até que decida que já foi perdoado. Você tem que dizer em fé: "Estou perdoado". E você pode ter que dizer isso por semanas ou meses, antes que seus sentimentos também estejam de acordo com sua fé.

Na Bíblia somos instruídos a receber de Deus. Mas parece que os cristãos estão sempre tentando obter algo. Paulo não perguntou aos discípulos de Corinto: "Obtivestes, porventura, o Espírito Santo..."? Ele perguntou-lhes: "Recebestes, porventura, o Espírito Santo quando crestes (em Jesus como o Cristo)"? (Atos 19.2).

A Bíblia não diz: "Mas, a todos quantos o obtiveram, deu-lhes o poder de serem feitos filhos de Deus". Ela diz: "Mas a todos quantos o *receberam, deu-lhes* o poder de se tornarem filhos de Deus, isto é, para aqueles que crêem em seu nome" (João 1. 12-ARA, grifo da autora).

Jesus é como um rio de vida que está derramando água viva, e nós somos convidados a receber, receber e receber. Ele disse:

> Aquele que crê em Mim [que se apega e confia e conta comigo] como dizem as Escrituras, de seu interior deverão fluir [continuamente] fontes e rios de água viva. Mas Ele estava falando do Espírito, que aqueles que cressem (confiassem, tivessem fé) nele posteriormente *receberiam*. Pois o Espírito [Santo] ainda não tinha sido dado, porque Jesus não tinha sido ainda glorificado (ressuscitado em honra) (João 7.38-39).

Tenho ensinado extensivamente sobre esse assunto de receber de Deus, porque estou bastante convencida de que as pessoas não estão recebendo as bênçãos que Deus quer lhes transferir. Desejo muito ver cada um no Corpo de Cristo tornar-se maduro e poder dizer: "Sim, essa promessa de Deus é para mim, e eu a receberei para que eu não tenha que viver sob culpa e condenação".

Deus Ama Você de Forma Perfeita

Posso falar sobre o amor de Deus durante toda uma conferência, posso demonstrar todas as diferentes formas como Deus prova Seu amor para conosco, mas não posso forçar ninguém a receber o amor dEle. Essa é uma escolha pessoal que cada um tem de fazer. Mesmo quando cometemos erros e sabemos que não merecemos o amor de Deus, ainda devemos receber o amor dEle com o objetivo de desfrutar a plenitude do que Ele quer que tenhamos.

Encorajo-o a praticar isso numa base diária, abrindo sua boca e dizendo:

Deus, sei que o Senhor me ama, e eu recebo Seu amor e vou caminhar nesse amor hoje. Vou desfrutar Seu amor, porque sei que o Senhor me ama, mesmo que eu não mereça, e, Deus, isso torna tudo melhor.

O amor de Deus é uma das mais importantes mensagens para o Corpo de Cristo nos dias de hoje. O amor de Deus é o principal tema sobre o qual as pessoas precisam ter uma revelação. As pessoas não precisam de um ensino sobre o amor de Deus tanto quanto precisam de uma experiência pessoal e a compreensão de quanto Deus as ama como indivíduos.

O amor de Deus levará você para a vitória quando todos os poderes e principados do inferno parecerem se unir contra você. O amor de Deus conduzirá você em meio às tempestades da vida para um lugar de paz e calma. Mas você nunca será mais que um vencedor (veja Romanos 8.37) se não tiver uma revelação de quanto é amado por Deus.

Temos de saber que Deus nos ama mesmo durante os momentos em que cometemos erros. Seu amor não é restrito aos dias em que pensamos que nos comportamos bem. Precisamos ter confiança no amor dEle especialmente quando estamos em tribulação e quando o diabo está nos atormentando com acusações, tais como;, "Bem, você deve ter feito algo errado".

Quando o acusador se aproxima, temos de saber que Deus nos ama.

Mesmo se fizermos algo errado, mesmo se abrirmos uma porta para o diabo entrar, mesmo se agirmos em ignorância, Deus ainda nos ama. Deus está do nosso lado (veja Romanos 8.28) e vai nos mostrar o que precisamos fazer para sair da confusão em que nos metemos. Mas Satanás quer nos afastar do amor de Deus, para que nunca encontremos o caminho de volta para a graça de Deus, para vivermos como filhos e filhas justos.

Jesus Envia a Sua Palavra

Quando nós estamos em problemas, o Senhor nos promete em Sua Palavra nos libertar. Está escrito no Salmo 107.20: "Ele envia a Sua Palavra e nos cura e nos resgata do abismo e da destruição". Jesus enviou seu Espírito Santo para nos ensinar o que precisamos saber. Ele disse a seus discípulos:

> Eu ainda tenho muitas coisas para dizer, mas vocês não seriam capazes de suportá-las ou recebê-las ou compreendê-las agora.
>
> Mas quando Ele, o Espírito da Verdade (o Espírito doador da verdade), vier, Ele os guiará a toda a verdade [a plena, total verdade]. Pois Ele não falará sua própria

> mensagem [em sua própria autoridade]; mas dirá tudo o que Ele ouvir [do Pai; Ele dará a mensagem que lhe for transmitida], e Ele anunciará e declarará a vocês as coisas que virão [que acontecerão no futuro].
>
> Ele me honrará e glorificará, porque tomará (receberá, se abastecerá) do que é meu e revelará (declarará, desvendará, transmitirá) isso a vocês.
>
> Tudo que o Pai tem é meu. E é isso o que Eu quero dizer quando falo que Ele [o Espírito] tomará as coisas que são minhas e as revelará (declarará, desvendará, transmitirá) a vocês (João 16.12-15).

Sou muito grata por Jesus nos prometer que o Espírito Santo *nos guiará* – Ele não nos *empurrará* ou *pressionará* – à verdade. O diabo quer nos pressionar e manipular, mas o Espírito Santo quer nos guiar gentilmente. Essa é uma das formas como reconhecemos se estamos ouvindo a Deus ou ao inimigo.

Se você se sente pressionado, confuso, controlado ou perturbado por alguma coisa, então isso não é de Deus; e essa não é a maneira como Ele trabalha. Pelo contrário, o Espírito Santo, gentilmente, revelará [declarará, desvendará, transmitirá] a verdade a você.

Mas a revelação não o beneficiará se não recebê-la. Temos transmissões pela televisão, mas precisamos sintonizar o programa para *receber* as mensagens que nos são enviadas. Da mesma forma, devemos receber a verdade que Deus está nos transmitindo por intermédio da Sua Palavra.

Jesus conquistou todas as coisas que poderíamos precisar para viver uma vida vitoriosa, triunfante e cheia de poder. Quando Jesus subiu ao céu, o Espírito Santo tomou o que Jesus conquistara e, em essência, disse: "Agora, eu irei aos crentes e trabalharei com eles, ministrando-lhes tudo o que Jesus *conquistou* e proveu para eles. Eu os guiarei e os orientarei a toda a verdade".

Jesus mencionou que havia muito mais que Ele desejava dizer, mas Ele sabia que não poderíamos suportar tudo de uma vez.

Mas Ele prometeu que o Espírito Santo tomaria do que é seu e nos guiaria a toda a verdade.

Receba o Espírito Santo

Eu havia nascido de novo há bastante tempo antes de desfrutar a presença do Espírito Santo em minha vida. Eu amava a Deus e iria para o céu quando morresse; mas teria chegado lá em cacos. Sem o relacionamento com o Espírito Santo, nunca teria sido uma cristã frutífera.

Minha vida nunca teria glorificado a Deus aqui na terra. Eu nunca teria sido uma testemunha para qualquer pessoa. De fato, se eu não tivesse recebido o Espírito Santo, declarar ser uma cristã poderia realmente prejudicar a obra de Deus em minha vida, porque eu não estava agindo como cristã.

Eu vivia fora de controle e não conseguia superar isso. Fazia tudo o que sabia que uma boa cristã deveria fazer, mas não tinha vitória porque não tinha nenhum conhecimento da Palavra de Deus. E não tinha o poder do Espírito Santo para me guiar à verdade e revelar como essa Palavra operaria em minha vida.

Foi um dia glorioso quando, pela primeira vez, pude dizer: "Eu sou a justiça de Deus em Jesus Cristo" (veja 1 Coríntios 1.30). Senti meu espírito vibrar; literalmente, senti a vida saltando dentro de mim. Lembro-me de pensar: *O que é isso?* Era como o sentimento de uma mãe quando seu bebê se mexe dentro do seu ventre pela primeira ver, com a diferença de que, desta vez, era o Espírito Santo!

Antes de receber o Espírito Santo, eu não sabia que era justa. Pensava que era detestável, má e atrapalhada. Sentia que não havia esperança para mim, e isso é o que o diabo quer que acreditemos, mas é mentira!

Se você quiser aprender mais sobre o relacionamento com o Espírito Santo, eu o encorajo a ler meu livro *Conhecendo a Deus*

Intimamente. NEle, explico como você pode ser tão próximo de Deus quanto quiser e como receber a plenitude do Espírito Santo em sua vida. É realmente tão simples quanto orar: *Senhor, recebo Seu Espírito Santo em minha vida. Enche-me com Sua presença e ensine-me claramente a ouvir sua voz para que eu possa seguir o Senhor todos os dias da minha vida.*

Você É Precioso para Deus

Você é precioso e valoroso, e Deus tem um plano para manifestar sua bondade e benignidade por intermédio daquilo que Ele deseja fazer para você. E, não importa o que tenha feito ou o que tenha sido feito a você, o passado permanece no passado. Deus tem um grande futuro para você. Você pode ter uma vida maravilhosa, mas tem de recebê-la. Como eu disse, você tem de concordar e dizer: "Isto é para mim".

Jesus bradou para nos dizer que Ele tem aquilo de que precisamos: "No último dia, o grande dia da festa, *levantou-se Jesus e exclamou*: Se alguém tem sede, venha a mim e beba" (João 7.37). Aquilo que você não pode fazer por si mesmo Ele já fez por você. Ele o convida agora a vir e receber, beber, tomar para si mesmo. Você faz isso ao crer que isso é para você.

Beber é definido como "tomar e receber avidamente"; "receber sem pensar".[14] Lembre-se de que Jesus disse: "...agora, peçam e mantenham-se pedindo, e vocês receberão, para que a sua alegria (satisfação, deleite) possa ser plena e completa" (João 16.24). Se você pedir e receber, então sua alegria será completa.

Como podemos impressionar um mundo deprimido se nós, crentes, formos tão deprimidos quanto aqueles que não têm Cristo? Deus quer que seu povo mostre a glória da sua bondade sobre eles. Quando recebemos a provisão de Deus, nossa alegria é completa, e é assim que a Igreja deveria ser.

Aja como um receptáculo das bênçãos de Deus. Tome o que Jesus comprou com sua própria vida para lhe dar. Estude a Palavra para que você possa assegurar-se das promessas de Deus. Ore a Ele, dizendo:

Aqui estou, Senhor. Faça fluir em minha vida a plenitude daquilo que o seu Espírito Santo tem para mim.

22

Fortalecidos por dentro

O PROPÓSITO deste livro é ajudar você a receber libertação do passado. Se esse passado aconteceu há 5 minutos ou há 50 anos, você sempre precisará desta mensagem... sempre. Você não tem de ter um passado horrível para precisar de libertação do sofrimento do seu passado. Se você se levantou ontem de manhã planejando ser bom e, então, perdeu o equilíbrio antes do café da manhã, você está precisando de libertação do passado.

O diabo quer mantê-lo preso a alguns erros que você tenha cometido, ou a algum comentário que não deveria ter feito, ou a algum pecado que você cometeu ou que alguém cometeu contra você. Deus quer que você seja livre daquilo que você fez e daquilo que lhe fizeram; ambos são igualmente importantes para Deus.

Vimos pelas Escrituras que Jesus veio curar o quebrantado de coração, sarar nossas feridas, restaurar nossos sentimentos. Ele veio nos dar o óleo de alegria em vez de lamento, vestes de louvor em vez de espírito angustiado, uma coroa de glória em vez de cinzas. Ele veio nos transformar em árvores de justiça, uma plantação do Senhor, para que Ele possa ser glorificado (veja Isaías 61.1-3).

O próprio Jesus disse: O Espírito do Senhor [está] sobre Mim [o Ungido, o Messias], porque Ele me ungiu para pregar as boas novas (o Evangelho) ao pobre; Ele enviou-me para anunciar a libertação aos cativos e recuperação de vista aos cegos, a libertar aqueles que estão oprimidos [que foram escravizados, machucados, esmagados e arruinados pela calamidade] (Lucas 4.18).

Creio que Deus está aí com você agora mesmo; e Ele lhe trouxe a esse momento em sua vida para libertá-lo de algo doloroso do seu passado. Talvez você precise de libertação de feridas emocionais que foram infligidas anos atrás, ou talvez alguém recentemente o tenha ofendido, mas a falta de perdão está impedindo-o de ser tudo o que Deus quer que você seja. Jesus veio colocar os cativos em liberdade. Ele sabia que você e eu precisaríamos dEle, todo dia.

Cada vez que prego essa mensagem de libertação de um coração ferido, sou encorajada a ser tudo o que Deus quer que eu seja. Desejo que você se determine a não ser apenas a metade do que Deus planejou ou três quartos do que Ele quer, mas a ser tudo o que Ele projetou para você.

Em Efésios 3.16, o apóstolo Paulo orou: "Possa Ele conceder a vocês das riquezas de sua glória para que sejam fortalecidos e revigorados com forte poder em seu homem interior pelo Espírito [Santo] [*Ele mesmo habitando em seu interior e personalidade*]" (grifo da autora).

O homem interior é que precisa de cura emocional. Nossas emoções são parte da nossa alma. Somos um espírito e temos uma alma. Nossa alma é composta da nossa mente, de nossa vontade e de nossas emoções. Nossa mente nos diz o que pensar, nossa vontade nos diz o que queremos e nossas emoções dos dizem como nos sentimos.

Satanás trabalha para manter suas emoções feridas quando outras pessoas o machucam. Provérbios 18.14 (ARA) diz: "O espírito firme sustém o homem na sua doença, mas o espírito abatido, quem o pode suportar"? O diabo quer você permaneça ferido interiormente, e assim você não poderá lidar com os problemas que sobrevém a todos nós na vida.

Mas o Espírito Santo move em seu homem interior e em sua personalidade e habita ali para fortalecê-lo e restaurá-lo com grande poder. Ele o relembra da Palavra de Deus que diz: "Lance seu fardo ao Senhor [livrando-se desse peso] e Ele o sustentará; Ele nunca permitirá que o [consistentemente] justo se desvie (escorregue, caia ou fracasse)" (Salmos 55.22).

Se tivermos força interior, poderemos enfrentar os problemas da vida. Sem a força interior, não conseguimos lidar nem com um congestionamento! Eu costumava ficar tão exasperada que isso era tudo o que eu conseguia fazer para lidar com os problemas comuns do dia-a-dia.

Nossas feridas emocionais nos impedem de enfrentar os problemas cotidianos. Precisamos de libertação das emoções feridas para lidar com um balconista mal-humorado, ou com uma criança que não quer fazer o que pedimos, ou com um esposo que não seja maduro espiritualmente.

Quando temos problemas interiores, temos também problemas exteriores. Mas, quando somos fortalecidos internamente, quando somos revestidos com toda a força e poder em nosso homem interior, pelo poder do Espírito Santo, então podemos lidar com todas essas outras coisas que surgem em nosso caminho.

Sendo Transformados à Sua Imagem

Todas as pessoas têm pontos fortes e fracos, e você e eu não somos exceções. Deus deseja nos libertar das coisas que nos mantêm na escravidão do sofrimento. Ele nos fortalecerá por intermédio do poder do Espírito Santo e moldará nossa personalidade de tal forma que teremos um temperamento controlado pelo Espírito.

Se não recebemos ajuda de Deus, poderemos nos tornar confusos em muitas áreas de nossa personalidade. Nossos desejos naturais se opõem à natureza do Espírito Santo (veja Gálatas 5.17). Se abrirmos espaço para o nosso egocentrismo, viveremos praticando as coisas definidas em Gálatas 5.19-20, que inclui coisas como contendas, inveja e ira. E, então, ao nos relacionarmos com outras pessoas também feridas, simplesmente nos manteremos ferindo um ao outro cada vez mais. Mas os relacionamentos constituem a maior parte da vida, e não podemos deixar de lidar com outras pessoas.

A Bíblia trata, em sua essência, do nosso relacionamento com Deus (a Divindade), com nós mesmos e com o próximo. Como eu disse, se não gostarmos de nós mesmos, não conseguiremos ir muito longe com qualquer outra pessoa. Muitas das batalhas que temos com outras pessoas existem porque estamos em guerra com nós mesmos.

O Espírito Santo está disponível para nos ajudar a nos moldarmos à imagem de Cristo. Está escrito a respeito de Deus em Romanos 8.29: "Pois aqueles que Ele de antemão conheceu [de quem Ele estava consciente e amou antecipadamente], Ele também destinou desde o início [preordenando a seu respeito] a serem moldados à imagem de seu Filho [e compartilhar interiormente sua semelhança], para que Ele pudesse se tornar o primogênito entre muitos irmãos".

Se concluirmos que precisamos de libertação do nosso passado de feridas, poderemos receber o poder de Deus para transformar nossa personalidade, para que ela seja como a de Cristo, e aperfeiçoar nosso relacionamento com Deus, com nós mesmos e com os outros. Podemos lidar com nossos próprios conflitos e receber cura em nossa atitude com relação a nós mesmos.

Você pode ainda estar se acusando pelos abusos dos quais não teve culpa. O diabo pode estar lhe dizendo que deve haver algo errado com você, pois, de outra forma, as pessoas não o tratariam da forma que trataram. Se você foi sexualmente abusado, o diabo pode dizer que deve ter algo errado com você, senão a outra pessoa – ou as outras pessoas – não teria agido de forma indevida.

Mas você não foi criado para propósitos impróprios, e qualquer abuso que você tenha sofrido consistiu numa injustiça.

Uma criança que é abusada não tem condições de olhar nos olhos do abusador e dizer: "Você tem um problema, e eu não sou seu problema. Você está tentando me transferir um problema, mas não vou recebê-lo".

Quando o abuso continua em nossa fase adulta, encontramos muito mais dificuldade para nos defender das mentiras enganosas de Satanás. Satanás estabelece um registro em nossos pensamentos que se repete continuamente:

O que estou fazendo de errado? O que estou fazendo de errado? Deve haver algo de errado comigo ou isso não estaria acontecendo. O que estou fazendo de errado?

O que estou fazendo de errado para você falar comigo desse jeito? O que estou fazendo de errado para você nunca querer me abraçar e me amar?

O que estou fazendo de errado, pois quando busco um abraço de meu pai ou de minha mãe, eles me empurram? O que fiz de errado, pois meus pais nem mesmo me quiseram e deram-me para outras pessoas? O que estou fazendo de errado por você querer me tratar como uma empregada e não como sua filha? O que estou fazendo de errado? O que há de errado comigo?

Ninguém mais que conheço é tratado dessa forma. Deve haver algo de errado comigo.

Algumas pessoas ouvem esse registro de sofrimento interno, vez após vez, ano após ano, até se tornarem adultos buscando alguém que as ame, já que nunca receberam o amor de que precisavam e que mereciam. Elas estão tão carentes de amor que são incapazes de amar alguém da forma que Deus pretendeu que fizessem.

Falo por experiência pessoal, quando digo que se você ainda sente esse tipo de dor interna, provavelmente, descobrirá que é difícil entrar num relacionamento *normal* e ter expectativas *normais* dos outros. Você pode querer que seu amigo ou cônjuge o compensem por todos os anos de abuso que você sofreu. Mas tal expectativa irrealista em relação às pessoas coloca sobre elas uma carga que lhes é impossível carregar. Elas podem tentar lhe dar tudo o que sabem, mas, até que você seja liberto das feridas do seu passado, nada que alguém faça por você será suficiente.

Lembro-me de ter atravessado um período no qual nunca me sentia satisfeita. Sempre queria que Dave fizesse algo além, que fizesse mais alguma coisa. E ele, sinceramente, tentou por anos. Ele fez tudo o que podia para me ajudar em minhas crises de sofrimento.

Dave é uma pessoa tranqüila e tentou arduamente me fazer feliz. Mas um dia ele olhou para mim e disse: "'Mulher'" (a única ocasião em que Dave me chama de 'Mulher' é quando está irritado, o que não ocorre freqüentemente), "agora ouça isto: tenho tentado fazer você feliz, e quer saber? Percebi que não posso fazê-lo. Não importa o que eu faça, não conseguirei fazer você feliz". E então, ele disse: "Assim, fique sabendo: parei de tentar"!

Permitindo Que Deus Encha o Seu Coração Vazio

Graças a Deus, o Espírito Santo estava trabalhando em mim por meio dessa crise para me fortalecer. Eu estava apenas começando a ler a Palavra e a perceber que todos os meus problemas, toda a minha infelicidade não eram culpa de alguém; eu tinha um problema *dentro de mim*. Assim, comecei a cooperar com Deus para que minha vida fosse transformada.

Muitas pessoas casadas procuram o divórcio quando percebem que seu cônjuge não irá fazê-las feliz. Elas dizem: "Se você não me faz feliz, não continuarei com esse relacionamento". Assim, elas procuram outra pessoa para fazê-las feliz, mas sua raiz de rejeição as mantém feridas.

Uma raiz de rejeição o deixará inseguro, com baixa auto-estima e sem confiança. Até que você seja liberto, sempre esperará por alguém mais para fazê-lo sentir-se bem sobre si mesmo. Eu precisava de doses diárias de auto-estima, assim como um viciado precisa de suas drogas. Eu precisava de reafirmação constantemente; não havia fim para minha carência, e algumas vezes, quanto mais atenção recebia, mais eu precisava de atenção.

As pessoas que têm raiz de rejeição na vida sentem-se não amadas e inseguras. A personalidade delas está destruída; elas estão despedaçadas interiormente. Como resultado, elas estão constantemente procurando algo que as faça se sentir bem. Elas tentarão tudo: um emprego melhor, uma promoção, um dom espiritual, uma posição na igreja, os amigos certos, a grife da moda para suas roupas, o tipo certo de carro para dirigir, o tipo certo de casa para morar, o tipo certo de grupo social para pertencer e outros complementos infindáveis. Elas parecem sempre dizer: "Diga-me que estou bem, encha-me de elogios, deixe-me sempre ser a pessoa certa". Pessoas inseguras não podem ser corrigidas porque elas já se sentem bastante mal sobre si mesmas.

Sei dessas coisas sobre pessoas inseguras porque tive cada um desses problemas até que o Conselheiro, o Espírito Santo, e a Palavra de Deus me tirassem desse abismo de desespero, das cinzas para a beleza.

O Espírito Santo é o único que pode fazer uma obra dentro de nós. Ele enche nosso coração do próprio Deus. Eu o encorajo a olhar cuidadosamente e considerar novamente a oração que Paulo fez por nós: "[Que vocês possam realmente vir a] conhecer [de forma pratica, *experimentado-o por si mesmos*] o amor de Cristo, que excede o mero conhecimento [sem experiência], *para que sejam cheios [em todo o seu ser]* da plenitude de Deus [para que tenham a mais rica medida da Presença divina, *e se tornem um corpo plenamente cheio e transbordante do próprio Deus]* (Efésios 3.19, grifos da autora).

Se nos tornarmos completamente cheios do próprio Deus, não ficaremos dependentes da reafirmação vinda de outras pessoas. Seremos tão plenos do amor de Deus que esse amor transbordará no nosso relacionamento com Ele, com nós mesmos e com os outros.

Se você permitir que Deus faça isso, Ele o libertará do sofrimento do seu passado. Receba a cura de Deus e permita que o Espírito Santo opere em seu coração. Ele o encherá com toda a reafirmação de que você precisa para desfrutar a vida. Ele lhe mostrará como você pode colocar o passado para trás para que nem mesmo sinta qualquer sofrimento ao se lembrar daquilo. Eclesiastes 5.20 (ARA) promete às pessoas que estão totalmente comprometidas com Deus: "Porque não se lembrará muito (seriamente) dos dias da sua vida, porquanto Deus lhe enche o coração de alegria (a tranqüilidade de Deus é espelhada nele)".

23

Livre Finalmente

O CAMINHO RUMO À cura emocional e à libertação para desfrutar sua vida não é, necessariamente, fácil. Contudo, prosseguir para a liberdade é definitivamente melhor do que permanecer na escravidão:

> ASSIM, JÁ QUE Cristo sofreu na carne *por nós, por vocês,* armem-se com o mesmo pensamento e propósito [pacientemente; para agradar a Deus, sofrendo em vez de cair). Pois quem sofre na carne [tendo a mente de Cristo] está livre do pecado (intencional) [parou de agradar-se a si mesmo e ao mundo, e agrada a Deus].
>
> Assim, não mais gasta o resto da sua vida natural vivendo pelos [seus] apetites e desejos humanos, mas [vivendo] para aquilo que Deus deseja (1 Pedro 4.1-2).

Um estudo cuidadoso dessa passagem das Escrituras revela que precisamos nos armar com os pensamentos apropriados, tais como: *Eu preferiria sofrer com Cristo fazendo o que é certo do que permanecer na escravidão para pecar.*

Ter um padrão de pensamento correto é importante para obter a vitória. Quando comecei a perceber que Jesus podia e desejava me libertar, quis ter essa liberdade, mas minha atitude era: "Não sofrerei mais; já sofri o bastante, e não me submeterei a mais nada que possa remotamente representar algum sofrimento emocional". O Espírito Santo levou-me a várias passagens das Escrituras que me ajudaram a perceber que eu estava pensando incorretamente e precisava me preparar para agir corretamente.

Comecei a pensar desta forma: *Não quero sofrer mais, mas prefiro sofrer a permanecer na escravidão. Enquanto permanecer na escravidão, vou sofrer de qualquer modo, mas será um tipo de sofrimento interminável. Se eu deixar Jesus me levar em tudo o que tiver de que enfrentar para ser livre, pode ser doloroso por um tempo, mas ao menos será um tipo de sofrimento que me levará à vitória, para uma nova vida, livre do sofrimento emocional.*

Um bom exemplo disso é o exercício físico. Se o meu corpo estivesse fora de forma por causa dos maus hábitos alimentares e da falta de exercícios, eu sofreria, porque estaria bastante cansada e sentindo-me mal o tempo todo. Se não tomasse atitude alguma a respeito do meu problema, o sofrimento simplesmente continuaria indefinidamente. Se decidisse entrar em forma, começaria a me exercitar, escolheria os alimentos certos e evitaria as coisas erradas.

Por um período, eu sofreria por causa dos músculos doloridos. Meu corpo poderia reclamar se não lhe desse certas comidas indevidas, às quais estava acostumado. Esse é um tipo de dor. Eu precisaria redimensionar um pouco do meu tempo para me exercitar, o que poderia produzir certo tipo de dor, porque eu precisaria tomar decisões sábias, e não decisões emocionais.

Podemos ver por meio desse exemplo que, para se livrar de um sofrimento sem sentido produzido por um desajuste físico, uma pessoa deve sofrer de outra forma, mas é um tipo de sofrimento que leva à vitória e, finalmente, acaba com o sofrimento.

O Sofrimento Certo e o Sofrimento Errado

Meditar nos versículos a seguir revela que devemos *escolher* pela fé sermos alegres enquanto estamos atravessando transições difíceis, sabendo que, porque Deus nos ama, mesmo o nosso "sofrimento certo" produzirá um bom final, o qual é, neste caso, um caráter maduro:

> Ainda mais (vamos também ser cheios de alegria agora!) vamos exultar e triunfar em nossos problemas e rejubilarmos em nosso sofrimento, sabendo que a pressão e a aflição e a dificuldade produzem paciência e perseverança inabaláveis.
>
> E a perseverança [constância] desenvolve maturidade de caráter (fé aprovada e integridade testada). E o caráter [desse tipo] produz [o hábito da] esperança alegre e confiante da eterna salvação.
>
> Tal esperança nunca desaponta ou desilude ou nos envergonha, pois o amor de Deus tem sido derramado em nossos corações através do Espírito Santo que Ele nos tem concedido (Romanos 5.3-5)

Em decorrência de um padrão de pensamento errado, muitas pessoas nunca amadurecem a ponto de experimentar a alegria de viver. Maturidade sempre inclui estabilidade. Sem estabilidade, nunca experimentaríamos realmente a paz e a alegria.

Existe um "sofrimento certo" e um "sofrimento errado". O apóstolo Pedro encorajou os crentes a se assegurarem de que não estavam sofrendo por agir de forma incorreta, mas, caso sofressem, deveria ser por agir corretamente. Em 1 Pedro 3.14, ele observa: "Mas... caso você sofra por causa da justiça (você é), bem-aventurado".

No versículo 16, ele nos exorta a vivermos de tal forma que nos sintamos seguros de que nossa consciência está totalmente limpa, e no versículo 17 ele diz: "Pois (é) melhor sofrer [injustamente] por fazer o certo, se esta for a vontade de Deus, do que sofrer [justamente] por agir de forma errada".

Essa é uma área importante. Muitas pessoas nunca experimentam a alegria da liberdade por causa de um padrão de pensamento incorreto com relação à dor. Em algum ponto da sua vida cristã, você deve ter ouvido que Jesus quer libertá-lo de toda sua dor, e isso é verdade – Ele quer. Contudo, uma transição está envolvida nesse processo, e a transição nunca é fácil.

Durante o trabalho de parto, a parte de esforço conhecida como a fase mais difícil é chamada de "transição". Por 33 anos vivi uma vida de sofrimentos. Quando, finalmente, descobri que Jesus queria me fazer livre do sofrimento, entrei em transição. Eu estava sendo mudada, transformada na idéia original que Deus tinha para mim antes que eu fosse arruinada pelo mundo. Eu ainda sofri por mais algum tempo, mas de forma diferente. Não era uma dor desesperadora, mas algo que realmente trazia esperança, porque eu podia ver mudanças por meio da transição.

Nem sempre aconteceram grandes mudanças, mas o Senhor sempre me impediu de desistir. Quando eu pensava que não poderia mais suportar a dor, Ele vinha com uma bênção especial que me fazia saber que Ele estava ali o tempo todo, cuidando de mim.

O Fogo Refinador

Se você compreende que o sofrimento correto opera como o fogo refinador, então os seguintes versículos terão um significado especial que lhe trarão grande consolo:

> Mas quem poderá suportar o dia da sua vinda? E quem poderá subsistir quando ele aparecer? Porque ele é como o fogo do ourives e como a potassa dos lavandeiros.

> Assentar-se-á como derretedor e purificador de prata; purificará os filhos de Levi e os refinará como ouro e como prata; eles trarão ao Senhor justas ofertas (Malaquias 3.2-3-ARA).

Gostaria de compartilhar com você uma história que ouvi certa vez, a qual ilustrará essa passagem. Na Europa, um homem foi até a loja de um ourives e encontrou alguns itens que ele desejava comprar. Durante todo o tempo em que esteve na loja, ele não conseguiu ver o ourives. Para concluir suas compras, ele começou a procurar pelo proprietário e, ao fazê-lo, notou que no fundo da loja havia uma porta aberta que levava a outro local. Quando ele se aproximou da porta, pôde ver o proprietário (de fato, o refinador) sentado próximo ao fogo onde havia um grande caldeirão. Ele não tirava os olhos do caldeirão fervente, embora o interessado comprador tentasse lhe falar sobre a compra de algumas das suas mercadorias.

O comprador perguntou-lhe se ele não poderia deixar o que estava fazendo por um tempo e sair dali para concluir a transação. Contudo, o refinador disse: "Não". Ele explicou que não poderia abandonar o metal no caldeirão, nem mesmo por um minuto, explicando desta forma: "É muito importante que esse metal, que é o ouro, não seja tirado daqui até que todas as impurezas sejam removidas. Quero que ele seja ouro puro. Se o fogo estiver muito alto, poderá estragá-lo; se estiver muito baixo, o ouro poderá permanecer com as impurezas".

Ele explicou que não poderia deixar o lugar nem tirar seus olhos do processo. Ele precisaria ficar ali sentado até que tudo estivesse completamente terminado. O comprador perguntou-lhe quando isso aconteceria, e o refinador explicou-lhe: "Só saberei que terminou quando olhar para o metal e puder ver meu reflexo nele bem claramente".

Para mim, essa é uma bela história, porque isso me faz saber que Deus está guardando minha vida e observando as tribulações que surgem em meu caminho para certificar-se de que elas não se tornarão muito intensas. Mas Ele também se assegura de que haverá suficiente pressão para continuar operando sua obra em mim.

Em 1 Coríntios 10.13, Paulo diz que Deus nunca permitirá que venha sobre nós mais do que poderemos suportar, mas com cada tentação Ele também proverá um escape. Podemos confiar que Deus não espera que enfrentemos algo além da nossa própria habilidade de suportar.

Creia-me, Deus sabe o que você é capaz de suportar melhor do que você mesmo. Confie nEle, e Ele o acompanhará no processo de refinação para que você possa emergir como ouro puro.

Prosseguindo para o Alvo

Será fácil para você suportar o sofrimento correto se compreender que o fogo refinador é um processo que dura a vida toda. Percebendo essa verdade, o apóstolo Paulo escreveu: "Não que eu tenha obtido [este ideal] ou, que já tenha me tornado perfeito, mas eu prossigo para (conquistar) e tornar meu, aquilo pelo qual Cristo Jesus... tem me conquistado" (Filipenses 3.12).

Em seus escritos, Paulo freqüentemente compara a vida cristã a uma corrida:

> Vocês não sabem que numa corrida todos os participantes competem, mas [somente] um recebe o prêmio? Assim, corra [a sua corrida] para que você possa alcançá-lo [o prêmio] e fazê-lo seu.
>
> Agora, todo atleta que está em treinamento se conduz de forma equilibrada e restringe-se de tudo. Ele o faz para conquistar uma coroa que logo se desfaz, mas nós [que receberemos uma coroa de bênção eterna] algo que não se desfará.
>
> Portanto, eu não corro incertamente (sem um alvo definido). Eu não luto como desferindo golpes no ar e lutando sem um adversário,

> mas [como um boxeador] eu esmurro o meu corpo [conduzindo-o severamente, disciplinando-o através das dificuldades], subjugando-o, por medo de que, após proclamar aos outros o evangelho e as coisas pertencentes a ele, eu mesmo me torne desqualificado [não suportando o teste, sendo inapto e rejeitado, como um impostor] (1 Coríntios 9.24-27).

Confie no Senhor, e Ele o ajudará a cruzar a linha de chegada. Seja determinado em prosseguir e em conquistar aquilo pelo qual Cristo conquistou você. Ele o conquistou para lhe salvar a vida.

Sua salvação incluiu muitos benefícios para sua vida agora, não apenas um lar no céu quando você morrer. A sua eterna salvação começou no dia que você nasceu de novo, e ela nunca terminará. Deus conquistou você para restaurá-lo naquilo que o inimigo o roubou, mas você precisará ser determinado em tê-lo de volta.

Não seja passivo, esperando que a vitória simplesmente caia sobre você. Ela vem pela graça de Deus, e não pelas nossas obras, mas devemos cooperar ativamente com o Espírito Santo a cada passo do caminho.

Em seu livro *The Great Lover's Manifesto*, Dave Grant afirma que nunca crescemos quando as coisas estão tranqüilas. Definhamos quando não há esforço. Como seres humanos, somos essencialmente acomodados e sempre buscamos o caminho mais fácil, mas, na verdade, precisamos de alguma tensão para nos esforçarmos e crescer. Nunca cresceremos até que concordemos que os desafios nos beneficiam, e esses desafios são bons porque eles nos mantêm ativos. Paulo disse que ele "prosseguia". Sua frase indica tensão e luta; indica que a caminhada cristã não é fácil.

No livro de Grant, ele relata a seguinte história: "Algumas abelhas estavam voando pelo espaço para ver com elas se conduziriam na experiência da falta de gravidade. Na atmosfera sem gravidade, elas seriam capazes de flutuar no espaço sem qualquer esforço. O relato da experiência termina com as seguintes palavras:

Elas desfrutaram do passeio, porém morreram (ênfase minha).[15] Concordo cem por cento com Grant, que prosseguiu dizendo que nós dificilmente "flutuamos" ao fazermos algo realmente digno.

Permaneça Firme em Tempos Difíceis!

Nos seguintes versículos, o profeta do Antigo Testamento, Habacuque, fala de tempos difíceis, que ele chama de "lugares altos", e declara que Deus lhe daria pés como da corça para permanecer firme durante esses tempos:

> Ainda que a figueira não floresça, nem haja fruto na vide; o produto da oliveira minta, e os campos não produzam mantimento; as ovelhas sejam arrebatadas do aprisco, e nos currais não haja gado, todavia, eu me alegro no Senhor, exulto no [vitorioso] Deus da minha salvação.
>
> O Senhor Deus é a minha fortaleza, minha bravura pessoal e meu exército invencível; e faz os meus pés como os da corça, e me faz andar [não permanecer aterrorizado, mas prosseguir] e fazer progresso [espiritual] sobre os lugares altos [de problemas, sofrimento ou responsabilidade] (Habacuque 3.17-19).

O termo *corça* refere-se a certo tipo de animal que é um ágil escalador de montanhas. Ele pode escalar o que pareceria ser um rochedo íngreme sem nenhuma dificuldade, pulando de beira a beira com grande facilidade. Essa, seguramente, é a vontade de Deus para nós, para que quando os tempos difíceis surgirem em nosso caminho não sejamos intimidados nem aterrorizados.

Para sermos verdadeiramente vitoriosos, devemos crescer para um nível no qual não temamos os tempos difíceis, mas realmente sejamos desafiados por eles. Na *Bíblia Amplificada*, esses versículos referem-se a esses "lugares altos" como "problemas, sofrimentos ou responsabilidades". Isso porque durante esses momentos é que crescemos.

Se você olhar novamente para sua vida, perceberá que nunca cresceu durante os tempos fáceis, mas, sim, durante as dificuldades. Durante os momentos tranqüilos, você é capaz de desfrutar aquilo que alcançou durante os tempos difíceis. Esse é realmente um princípio na vida e é dessa forma que ela funciona. Você trabalha toda a semana e, então, recebe o seu salário (nos Estados Unidos, o pagamento de salário geralmente é semanal) e desfruta seu final de semana. Você faz exercícios, come de forma correta, cuida de si mesmo e, então, desfruta um corpo saudável. Você arruma sua casa, ou porão, ou garagem e, então, desfruta um ambiente claro e limpo cada vez que passa por ele.

Lembro-me de Hebreus 12.11: "Pois, no momento, a disciplina não traz alegria, mas parece desagradável e dolorosa; porém depois alcança pacifico fruto de justiça para aqueles que têm sido treinados por ela".

A pessoa que serve a Deus porque O ama age de forma correta porque isso é certo. Ela não o faz para obter alguma vantagem, embora no final as bênçãos recaiam sobre si. Busque ser íntegro para glorificar a Deus e, no final, desfrutará uma vida gloriosa.

24

Edificando Pontes, e não Muros

Um muro representa proteção. Temos uma tendência a edificar nossos próprios muros na tentativa de nos proteger contra a possibilidade de sermos feridos. Como já mencionei várias vezes, embora eu tenha um marido maravilhoso e muito carinhoso, há momentos em que ele me fere. Finalmente percebi que sempre que meu marido me causava algum sofrimento emocional, eu construía um muro (estou falando espiritualmente) atrás do qual eu poderia me esconder e impedi-lo de me ferir novamente. Mas o Espírito Santo me mostrou que, quando eu construía um muro para conservar os outros do lado de fora, eu também ficava presa num solitário local de confinamento.

Muitas pessoas vivem isoladas porque construíram seus próprios muros para se protegerem. Contudo, esses muros tornam-se prisões, e elas são enredadas em amargura e solidão. Elas construíram muros para protegê-las do sofrimento emocional, mas são incapazes de amar e ser amadas, a menos que permitam ser feridas.

Passar toda sua vida tentando evitar a dor é mais doloroso do que viver normalmente e lidar com cada questão quando ela surgir. Jesus é o curador e sempre estará disponível para lhe ministrar conforto em situações dolorosas.

Creio que o Senhor quer que eu o encoraje agora mesmo a tomar um passo de fé e derrubar os muros que você mesmo construiu. Tal pensamento, provavelmente, será assustador, especialmente se você tem vivido atrás desses muros por longo tempo. Deus pode derrubar esses muros emocionais que separam você dos outros, assim como Ele fez com as muralhas de Jericó (veja Josué 2.1-21; 6.1-27). A versão *King James* da Bíblia, em Hebreus 11.30, destaca que "pela fé", os muros caíram.

Eu tenho de tomar um passo de fé cada vez que Jesus me mostra que estou edificando muros para manter os outros do lado de fora. Eu devo escolher colocar minha fé nele como meu protetor, ao invés de tentar me proteger sozinha.

Existem vários versículos da Bíblia que prometem a proteção de Deus. Isaías 60.18 (ARA) é dos que me falam ao coração: "Nunca mais se ouvirá de violência na tua terra, de desolação ou ruínas, nos teus limites; mas aos teus muros chamarás Salvação, e às tuas portas, Louvor".

O que esse versículo me diz é que há salvação por intermédio de Jesus Cristo e um muro de proteção ao meu redor. Desde o momento em que me torno dEle, Ele assume a responsabilidade de me proteger. Contudo, para ativar suas bênçãos em minha vida, devo crer que Ele está cuidando de mim. Enquanto eu continuar a rejeitar a proteção de Deus, tentando cuidar de mim mesma, permanecerei vivendo em escravidão e miséria.

Outro versículo maravilhoso no assunto da proteção de Deus está em Isaías 30.18: "E, portanto, o Senhor (ardentemente) espera [aguardando, buscando, ansiando] ser gracioso para você; e, por isso, Ele se detém, para que possa ter misericórdia de você e mostrar–lhe benignidade. Pois o Senhor é um Deus de justiça. Bem-aventurado (feliz, afortunado, para ser invejado) são todos aqueles que [intensamente] aguardam por Ele, esperam e buscam e anseiam por Ele [por sua vitória, seu favor, Seu amor, Sua paz, Sua alegria e Sua companhia incomparável e constante]"!

Um estudo cuidadoso desse versículo revela Deus como aquele que, literalmente, aguarda uma oportunidade de ser bom conosco, trazendo justiça às nossas situações. Contudo, Ele só pode fazer isso por aqueles que esperam que Ele o faça. Desista do esforço da "autoproteção" e comece a permitir-se experimentar a proteção de Deus sobre sua vida.

Deixe Deus ser Deus!

À medida que você entra nesse novo reino, pela fé, não posso lhe prometer que você nunca será ferido, mas posso prometer que Deus é "um Deus de justiça", o que significa que Ele, finalmente, trará equilíbrio e o recompensará por escolher os caminhos dEle.

Qualquer pessoa que escolhe o caminho de Deus para lidar com seus problemas e situações dolorosas é destinada às grandes coisas: "Como está escrito... nós somos considerados e contados como ovelhas para o matadouro. Contudo, *em meio a todas essas coisas, nós somos mais do que vencedores* e ganhamos uma vitória insuperável através daquele que nos amou" (Romanos 8.36,37, grifo da autora).

Como podemos ser mais do que vencedores, ao mesmo tempo que parecemos como ovelhas sendo levadas para o matadouro? A resposta é simples: ainda que pareça que estamos sendo explorados, ainda que pareça que o Senhor não irá nos resgatar, somos mais que vencedores porque, em "meio à confusão", temos a certeza de que nosso Deus nunca nos deixará nem nos abandonará e que, no momento certo, nossa libertação e nossa recompensa chegarão.

Construindo Pontes

Um dia, enquanto estava orando, o Espírito Santo me mostrou que minha vida tinha se tornado uma ponte para que os outros passassem e encontrassem seu lugar em Deus. Por muitos anos, eu apenas construíra muros em minha vida, mas, agora, onde antes havia muros foram construídas pontes. Todas as coisas difíceis e desagradáveis que me aconteceram tinham se tornado em estradas, sobre as quais outros podiam passar e encontrar a mesma liberdade que eu experimentara.

Eu tinha aprendido a edificar pontes em vez de muros.

Como declarei no capítulo 5 deste livro, Deus não faz acepção de pessoas (veja Atos 10.34). O que Ele faz por alguém Ele fará por outra pessoa, uma vez que Seus preceitos sejam seguidos. Se você seguir os princípios que têm sido destacados nestas páginas, descobrirá a mesma liberdade que experimentei. Então, você pode se tornar uma ponte para outros passarem, em vez de um muro que mantém as pessoas do lado de fora.

Em Hebreus 5.9, Jesus é referido como "o autor e a fonte de eterna salvação". Ele desbravou o caminho a Deus em nosso favor. Ele se tornou uma estrada pela qual podemos passar. É como se Ele enfrentasse uma floresta gigante e fosse à nossa frente para desbravá-la, de forma que, ao caminharmos, pudéssemos passar sem ter de pelejar com qualquer elemento ou com a densidade da floresta. Ele sacrificou-se por nós, e agora que somos beneficiados por Seu sacrifício Ele nos dá uma chance de nos sacrificarmos pelos outros para que eles também possam alcançar os mesmos benefícios que desfrutamos.

Hebreus 12.2 diz que Jesus enfrentou a cruz pela alegria de obter o prêmio que estava diante de Si. Gosto de me lembrar desse fato quando o caminho parece difícil. Digo a mim mesma: "Mantenha-se firme, Joyce; há alegria adiante".

Tome a decisão de derrubar seus muros e edificar pontes. Há muitas, muitas pessoas que estão perdidas em seus conflitos e precisam de alguém que vá à frente delas e lhes mostre o caminho. Por que não ser tal pessoa para elas?

Muros ou pontes? A escolha é sua.

Beleza em vez de Cinzas

Não somente Deus quer transformar seus muros em pontes, mas, como Ele promete em sua palavra, Ele também quer dar-lhe beleza em vez de cinzas:

> O Espírito do Senhor Deus está sobre mim, porque o Senhor me ungiu e me qualificou para pregar o Evangelho das boas-novas aos humildes, aos pobres e aflitos; Ele enviou-me a por ligaduras, e a curar os quebrantados de coração; a proclamar libertação aos cativos [físicos e espirituais] e a abertura das prisões e dos olhos daqueles que estão algemados; A proclamar o ano aceitável do Senhor [o ano do Seu favor] ... e a pôr [consolação e alegria] sobre os que em Sião estão de luto um ornamento de beleza (uma grinalda ou diadema) em vez de cinzas, óleo de alegria, em vez de pranto, veste [expressiva] de louvor, em vez de espírito enfraquecido, oprimido e abatido (Isaías 61.1, 2, 3).

Essas promessas em Isaías 61 são ricas e abundantes. Leia e tome a decisão de não perder nem sequer uma delas. Estarei em concordância com você, já que estou orando para que cada pessoa que ler este livro herde tais promessas.

Deus tem feito sua parte ao nos dar Jesus. Tenho feito minha parte ao agir de acordo com a Palavra de Deus, obter liberdade e, então, escrever este livro para ajudá-lo a fazer o mesmo. Agora, você deve fazer sua parte e tomar uma decisão de qualidade de que nunca desistirá até que tenha permitido a Ele:

- ligar suas feridas;
- curar seu coração quebrantado;
- libertá-lo em cada área de sua vida;
- abrir as portas de sua prisão;

• dar-lhe alegria em vez de pranto,
vestes de louvor em vez de um espírito enfraquecido,
oprimido e abatido;

e

beleza em vez de cinzas.

25

Nada Será Desperdiçado

NENHUMA EXPERIÊNCIA EM sua vida será desperdiçada ou em vão se você entregar todos os seus cuidados ao Senhor. Mesmo se sua vida despedaçada se parece com um campo de batalha abandonado, Jesus pode juntar todas as peças do seu passado e transformá-las em algo belo.

Após Jesus ter alimentado 5 mil pessoas com apenas poucos pedaços de pão e dois peixinhos, Ele disse a Sus discípulos: "Juntem agora o que sobrou (os pedaços partidos que foram deixados), para que nada se perca ou seja desperdiçado" (João 6.12). Os discípulos juntaram doze cestos daquilo que sobrou, muito mais do que a pequena oferta de pães e peixes que lhe foram feitas a princípio.

Deus me fez livre do medo, insegurança, vícios emocionais, da escravidão e de um senso profundo de rejeição. Então, Ele reformulou minha vida despedaçada e me deu o glorioso privilégio de ensinar a Seu povo como ele pode ser restaurado, como ele pode ter vidas e ministérios frutíferos e felizes, e como ele pode desfrutar relacionamentos saudáveis e amorosos.

Tenho aprendido a receber amor incondicional de Deus, de Dave e até de mim mesma. Meu marido não faz tudo o que eu gostaria que fizesse, da forma que eu gostaria, quando quero que Ele faça; mas isso não é problema agora, porque aprendi como amá-Lo incondicionalmente também.

No princípio do nosso casamento, eu não sabia nada sobre o amor incondicional. Minha família tinha de fazer tudo do meu jeito ou eu assumiria que eles não me amavam.

Como eu sofria por um coração ferido, todos que se relacionavam comigo tinham de se esforçar bastante para tentar me fazer feliz. Eles sofriam porque não podiam ser sinceros comigo. Eles nunca podiam honestamente dizer-me a verdade sobre qualquer coisa. Eles tinham de falar o que eu queria ouvir se quisessem viver em paz.

Se eu dissesse a Dave "Vamos tomar uma xícara de café", ele não poderia dizer "Bem, eu não queria fazer isso agora", pois eu ficaria aborrecida. Essa era a minha forma de controlar as coisas. Eu estava fragilizada, despedaçada, quebrada, esmagada e desestruturada. Eu tinha sido violada e fazia todos pagarem pelo meu sofrimento, mesmo que eles não fossem aqueles que o causaram.

Se você foi violado pelo abuso, seus direitos como ser humano foram desonrados, e isso o faz sentir-se oprimido. Assim, muitas vítimas de abuso finalmente chegam a um ponto em que dizem: "Não posso lidar mais com isso". Elas não estão realmente atormentadas pelos problemas da vida diária; elas estão subjugadas pelos problemas de um coração partido. Aqueles que cresceram num lar desestruturado são freqüentemente tão inseguros que criam lares desestruturados também.

Precisamos de força interior para evitar que sejamos esmagados pelas circunstâncias exteriores. Devemos permitir que Deus junte nossos sonhos despedaçados e nos refaça à imagem de Cristo. Para fazer isso, Ele pode ter de esmagar as poucas peças que sobraram e transformá-las num barro fino, molhando-o com Sua Palavra e remodelando nossa massa de sobras irregulares, colocando-nos de volta em sua roda do oleiro. Mas Ele é mais do que capaz de formar algo miraculoso daquilo que deixamos para Lhe entregar.

Jesus nos disse que no mundo teríamos aflições: Eu tenho dito essas coisas para que em Mim vocês possam ter paz [perfeita] e confiança. No mundo vocês terão tribulações e aflições e abalos e frustrações; mas tenham bom ânimo [tenham coragem; sejam confiantes, firmes, inabaláveis], pois Eu venci o mundo [Eu tenho privado o mundo do poder de feri-los e Eu o tenho vencido por vocês]" (João 16.33).

Ninguém pode evitar as tribulações desta vida, mas aqueles que colocam sua fé em Jesus podem ter bom ânimo: "Muitas são as aflições do justo, mas o Senhor de todas o livra." (Salmos 34.19-ARA). Mas a Palavra não diz que Deus nos libertará imediatamente. Podemos ter de suportar algumas coisas antes disso.

A vida sempre vence a morte, e a luz sempre vence as trevas. Sem a Palavra de Deus, o futuro pode ser tenebroso, mas Jesus disse que Ele veio para nos libertar das trevas: "Eu vim como uma luz neste mundo, para que aquele que crê em mim [que realmente se apega e confia e conta comigo] não continue a viver em trevas" (João 12.46). Em vez de viver em trevas e miséria, devemos *continuar* a seguir a Jesus e nos conformar totalmente ao seu exemplo de vida (João 12.26).

Você não pode *prosseguir* se estiver despedaçado, oprimido, esmagado. Mas, agora, você tem recebido o suficiente da Palavra de Deus por meio dos testemunhos deste livro para compreender que você não mais está preso ao seu passado se você seguir ao Senhor. Jesus disse: "Se vocês permanecerem em Minha palavra [firmarem-se nos meus ensinos e viver em concordância com eles], verdadeiramente serão meus discípulos. E vocês conhecerão a verdade, e a verdade vos libertará" (João 8.31-32).

Continue Seguindo ao Senhor

Deus planta sonhos no coração das pessoas. Mas muitas pessoas não continuam todo o caminho até o fim ao seguirem ao Senhor para o cumprimento desses sonhos. Muitas começam e desistem; começam e desistem; começam e desistem. Elas não continuam porque seus corações despedaçados esmagaram-lhes as esperança. Elas não têm qualquer força interior para levá-los até o fim.

Jesus curará suas feridas. Sua palavra é remédio para sua alma (veja Provérbios 4.20-22). Leia a Palavra de Deus todos os dias, mesmo que seja apenas um versículo por dia. Quero encorajá-lo a ler meu devocional diário, *Starting Your Day Right* (Começando Seu Dia Corretamente), e, então, quando você for dormir, pense nas coisas inspiradas por Deus, tais como: *Eu sou a justiça de Deus em Cristo Jesus. Deus me ama, Ele tem um bom plano para o meu futuro*. Então, faça orações cheias de fé, tais como esta:

Senhor, creio que o Senhor me ama e que pode tomar todas as peças quebradas da minha vida e fazer algo delas para o meu bem. Em Romanos 8.28, a Palavra diz, 'Todas as coisas cooperam juntamente e são (ajustadas num plano) para o bem e para aqueles que amam a Deus e são chamados de acordo com (Seu) desígnio e propósito)'. Eu o amo, Senhor. Creio que o Senhor me perdoa. Pai, eu recebo Sua cura para o meu coração partido.

E não vá para a cama à noite pensando na horrível confusão em que você se encontra, como você nunca vai vencê-la, ou como nada está melhorando, ou como nada mudou. Tome a Palavra de Deus como seu remédio. Ela é um medicamento para seu corpo, para sua alma e para seu espírito. Estude-a para que o poder da Palavra e do Espírito possa trabalhar juntamente em sua vida.

Quando você ler um versículo da Bíblia do qual você quer se apropriar, adicione-o em suas orações. Por exemplo, o Salmo 30.11-12 pode tornar-se parte das suas orações antes de dormir;

juntamente com o salmista, você pode adorar a Deus, dizendo: *O Senhor tem transformado meu pranto em dança para mim; O Senhor tem tirado meu pano de saco e me vestido de satisfação, para que, finalmente, minha língua e meu coração e tudo que é glorioso dentro de mim possam cantar louvores ao Senhor, e não se calar. Senhor meu Deus, dou graças ao Senhor para sempre.*

Deus anseia derramar Seu Espírito em sua vida. Apenas ore: *Senhor, mova-se em minha vida. Faça o que Senhor quer fazer. Cure as pessoas que tenho ferido e me cure também.*

Seu Sofrimento não Será Desperdiçado

Quando criança, nunca fui capaz de me sentir à vontade, nunca fui capaz de viver sem preocupações, de simplesmente acordar e brincar. Sempre me senti infeliz comigo mesma porque parecia que minha infância e minha adolescência tinham sido perdidas. Então, vivi um casamento infeliz por cinco anos e senti que aquilo foi um desperdício também. Como adulta, sentia que tinha perdido muitos anos apenas desperdiçando minha vida. Mas Deus juntou esses anos desperdiçados e fez da minha confusão a minha mensagem.

Ele descobriu valor e transformou cada situação triste que vivi. Você pode se perguntar: *Como Deus pode fazer algo de bom de toda a confusão que criei?* Deus tem caminhos que desconhecemos. Ele tem usado todos os meus anos desperdiçados para alcançar milhares e milhares de pessoas que me dizem: "Ouço você todos os dias".

Algumas vezes, sinto-me maravilhada com aquilo que eles estão ouvindo. Eles me ouvem falar sobre a confusão em que eu costumava estar e como Deus me restaurou, e essa mensagem lhes dá esperança e fé de que Ele fará o mesmo por eles. Deus extraiu valor das minhas ruínas e usou isso para curar outras pessoas arruinadas.

Talvez você sinta que tem desperdiçado sua vida até agora, mas ficar pensando nisso não o levará a lugar algum. Se você confiar em Deus, Ele pode fazer algo glorioso a respeito desse tempo que você perdeu. Ele pode realizar uma obra tão maravilhosa no tempo que lhe resta que tudo o que passou parecerá ter valido a pena, simplesmente por vê-Lo tomar tudo isso e fazer o que só Ele pode fazer em sua vida.

Seria impossível eu estar fazendo o que faço hoje. Quando Deus me chamou para o ministério, dizer que eu vivia em confusão não é descrever precisamente o que acontecia. Mas eu amava a Deus e não queria continuar a viver do jeito que vivia. Eu não sabia como mudar, ser diferente e melhor. Levou anos para Deus me trazer ao lugar em que Ele queria que eu estivesse, mas creio que Ele está fazendo uma obra de justiça mais rápida nesses últimos dias.

Deus Fará O Que Parece Impossível

Mesmo se levar décadas, é melhor você estar no seu no caminho de subida do que permanecer descendo. Ore: *Sim, Deus, aqui estou. Tome minha vida despedaçada, junte os fragmentos para que nada se perca*. Não permaneça despedaçado; tome uma decisão de confiar seu passado e seu futuro ao Senhor.

Você pode se sentir como Marta se sentiu quando seu irmão Lázaro morreu. Marta disse a Jesus: “Mestre, se você estivesse aqui, meu irmão não teria morrido” (João 11.21). Jesus poderia ter chegado à cena bem antes, mas a Bíblia diz que Ele, propositadamente, esperou até Lázaro morrer e ser sepultado. Ele esperou até que a situação se tornasse impossível, pois, quando algo extremamente bom viesse dela, todos saberiam que aquilo era uma obra de Deus (veja João 11.1-11).

Precisamos compreender que quando Deus não move em nossas circunstâncias, ou quando não move tão rapidamente quanto gostaríamos, Ele pode estar esperando propositadamente. Somente quando nós pensamos que não há maneira de resolver nossa confusão, Deus nos provará quão forte e maravilhoso Ele é a nosso favor (veja 2 Crônicas 16.9).

Eu tinha tentado servir a Deus por anos. Por que Ele esperou tanto para me tocar com o poder de Espírito Santo? Por que Ele não o fez dois anos antes? Quatro anos antes? Penso que Ele estava apenas esperando até que fosse necessário um milagre para provar que Ele estava trabalhando em minha vida. O fato de Deus usar minha vida para ministrar já é um grande milagre em si mesmo.

Se Jesus escolhesse Seus doze discípulos por meio de testes de personalidade, o resultado teria indicado que eles não tinham as qualidades necessárias para formar uma boa equipe de ministério. O analista teria de aconselhar Jesus a continuar sua busca por homens que fossem mais adequados para o trabalho requerido deles. Os relatórios teriam dito: "Pedro é emocionalmente instável e tem explosões de temperamento, e Tomé é cheio de dúvidas", e, um por um, cada discípulo teria sido semelhantemente desqualificado.

É interessante notar que antes de Jesus escolher esses doze homens (veja Lucas 6.12-16), Ele orou a noite inteira! Não me pergunte quanto Ele orou antes de me escolher e de escolher você para fazer o que fomos chamados a fazer. Jesus sabe tudo a respeito de cada um de nós, contudo Ele nos escolheu da mesma forma. Por quê? Ele quer curar o quebrantado. Ele quer juntar os fragmentos e mostrar Seu poder. Quanto mais fracas são as pessoas que Ele escolhe, mais o Seu poder se torna visível por meio delas.

Quando comecei a servir a Deus, passava metade de cada semana chorando com autopiedade. A despeito desse fato, eu ainda era ungida para dar estudos bíblicos e podia pregar tanto quanto faço hoje. Mas Deus me manteve presa à minha sala de estar, ministrando a 25 pessoas por anos, antes de começar a me levar ao ministério mundial que tenho hoje.

Entendi que Deus não me liberaria para o ministério público até que eu o deixasse fazer uma obra em minha vida particular. Mas, durante todo aquele templo de fidelidade nas pequenas coisas, eu estava progredindo pouco a pouco, de glória em glória (2 Coríntios 3.18).

Algo maravilhoso sobre Deus é que Ele não apenas vê onde estamos, mas também vê aonde chegaremos. Ele nos trata tendo em mente o final, durante toda a viagem. Ele nos ama com amor incondicional desde o início do nosso relacionamento. Tentamos muitas vezes obter Seu amor de todas as formas imagináveis, mas tudo de que precisamos é apenas *recebê-Lo*.

Algumas vezes, tentamos arduamente entrar na presença de Deus, mas a verdade é que é impossível sair da presença dEle. Ele está em constante busca da nossa presença.

No Salmo 139.7-10 (ARA), o salmista escreveu a respeito de Deus:

> Para onde me ausentarei do teu Espírito? Para onde fugirei da tua face?
>
> Se subo aos céus, lá estás; se faço a minha cama no mais profundo abismo, lá estás também; se tomo as asas da alvorada e me detenho nos confins dos mares,
>
> ainda lá me haverá de guiar a tua mão, e a tua destra me susterá.

No versículo 16 dessa passagem, o salmista diz que todos os dias de nossa vida "estavam escritos antes mesmo deles existirem, quando nenhum deles havia ainda". E, nos versículos 17 e 18, ele diz o que Deus pensa sobre nós todo o tempo: "Que preciosos para mim, ó Deus, são os teus pensamentos! E como é grande a soma deles! Se os contasse, excedem os grãos de areia; contaria, contaria, sem jamais chegar ao fim.".

Não determine a tua dignidade pela maneira como os outros têm tratado você. Receba seu valor e dignidade por meio daquilo que você é em Cristo. Você pode algumas vezes sentir que o Senhor não está perto, mas eis por que conhecer a Sua Palavra é tão importante. O profeta Isaías trouxe um lamento diante de Deus, relatando o que Seu povo estava dizendo:

> O Senhor me desamparou, o Senhor se esqueceu de mim.
> (E o Senhor respondeu): Acaso, pode uma mulher esquecer-se do filho que ainda mama, de sorte que não se compadeça do filho do seu ventre? (Sim, ela pode se esquecer) Mas ainda que esta viesse a se esquecer dele, eu, todavia, não me esquecerei de ti. Eis que nas palmas das minhas mãos te gravei (tatuei teu retrato) (Isaías 49.14-16).

Os pais não criaram a idéia de guardar retratos dos seus filhos. Deus carrega um retrato de Seus filhos onde quer que Ele vá. Da próxima vez que você se questionar sobre sua própria dignidade, lembre-se de que Deus tem seu retrato tatuado nas palmas das mãos dEle!

26

Porção Dobrada pela Luta Enfrentada

Não importa o que você esteja enfrentando, se você buscar a Deus, Ele o recompensará. A Palavra diz em Hebreus 11.6: "Mas sem fé é impossível agradar a Deus e satisfazê-Lo. Pois aquele que se aproxima de Deus deve [necessariamente] crer que Ele existe e que é o recompensador daqueles que sincera e diligentemente o buscam".

Muitas pessoas parecem acreditar que Deus é um punidor. Mas elas, obviamente, não possuem conhecimento íntimo dEle. Pela sua própria natureza de amor (veja 1 João 4. 8), Deus é um recompensador.

Deus quer que *esperemos* uma recompensa; Ele quer que acreditemos que essa recompensa existe e que a busquemos. Sua Palavra diz que aquele que vem a Ele deve acreditar que Ele é um recompensador. Não devemos nos concentrar naquilo que temos enfrentado; devemos fixar nossos pensamentos no que Deus está fazendo por nós, enquanto permanecemos fiéis a Ele. Nosso testemunho deveria ser cheio de louvor a Deus enquanto proclamamos: "Minha recompensa está chegando"!

A expectativa de uma recompensa nos enche de esperança. Isso nos ajuda a enfrentar as dificuldades. A Bíblia diz que Jesus não fez caso da humilhação que sofreria na cruz, mas Ele a enfrentou pela alegria do prêmio que estava à sua frente. Conseqüentemente, devemos continuar a "olhar fixamente [livres de toda a distração] para Jesus, que é o Líder e a Fonte da nossa fé [dando o primeiro incentivo para nossa fé] e também é o Consumador [levando-a à maturidade e perfeição]" (Hebreus 12.2).

Ninguém desejaria trabalhar se não pensasse que receberia um salário. Quando há um prêmio por suportar algo, há uma motivação que nos dá a energia para prosseguirmos. Nós dizemos: "Está bem; eu posso enfrentar isso, porque sei que vou obter algo depois".

É importante perceber que Deus é um Pai amoroso e que Ele está cuidando de nós. Nós somos fiéis a Ele por causa de sua bondade conosco. Ele nos traz uma recompensa e bênçãos especiais para nossa vida não porque Ele nos deve alguma coisa, mas porque faz parte de Sua própria natureza demonstrar amor para aqueles que diligentemente o buscam.

Se você não fosse diligente em buscar a Deus, já teria colocado esse livro de lado páginas atrás. Mas aqui está você, ainda lendo, esperando aprender algo sobre Deus que não sabia antes. Isso me diz que você está na posição de receber a recompensa dEle como alguém que está fielmente buscando-O.

Deus Está Observando Você

Deus está observando você e vendo tudo o que você faz. O salmista disse: "Sabes quando me assento e quando me levanto; de longe penetras os meus pensamentos." (Salmos 139.2-ARA. A Bíblia diz: "Porque, quanto ao Senhor, seus olhos passam por toda a terra, para mostrar-se forte para com aqueles cujo coração é totalmente dele" (2 Crônicas 16.9). Deus está buscando oportunidades para recompensá-lo por sua fé nEle.

Jesus disse: “E eis que venho sem demora, e comigo está o galardão que tenho para retribuir a cada um segundo as suas obras.” (Apocalipse 22.12-ARA). Isso significa que as pessoas receberão o pagamento por aquilo que realizaram enquanto estavam na terra. Agora, isso pode ser excitante de um lado e assustador de outro. Precisamos perceber que Deus está nos observando e que ninguém passa despercebido.

Deus não dormita nem dorme (Salmos 121.4). Ele sabe tudo o que está acontecendo por trás das portas fechadas. Assim, precisamos viver como se realmente crêssemos que Deus está nos observando em cada movimento. Quando nos sentamos e conversamos, precisamos nos lembrar de que Ele é o nosso convidado invisível e que está ouvindo tudo o que estamos dizendo.

Jesus alertou Seus seguidores:

> TOMEM CUIDADO para não fazerem suas obras publicamente ou diante dos homens, com o objetivo de serem vistos por eles, de outra sorte, vocês não terão recompensa [reservada para e aguardando por vocês] com e do seu Pai que está no céu. Assim, quando vocês derem algo ao pobre, não toquem trombeta diante de si, como os hipócritas nas sinagogas e nas ruas fazem, para que eles possam ser reconhecidos e honrados e louvados pelos homens. Verdadeiramente, Eu lhes digo que eles já receberam a sua plena recompensa (Mateus 6.1-2).

Se fazemos as coisas para obter a atenção das pessoas, então a atenção pública que recebemos dos outros já é a nossa recompensa, e não haverá recompensa posterior de Deus. Não troque a recompensa de Deus pela recompensa das pessoas. Espere por aquilo que só Deus pode lhe dar, porque será muito melhor do que aquilo que as pessoas podem lhe dar.

Jesus prosseguiu dizendo: “Mas, quando vocês derem esmolas, não deixem sua mão esquerda saber o que sua mão direita está fazendo, para que suas obras de caridade possam permanecer em secreto, e seu Pai que vê em secreto recompensará vocês *publicamente*" (Mateus 6.3-4).

Em outras palavras, faça boas obras com motivações puras, mas não se vanglorie disso. O que você é capaz de fazer secretamente Deus o recompensará publicamente. Jesus falou até mesmo sobre orar secretamente dizendo: "Mas quando vocês orarem, entrem em seu quarto (mais) íntimo, e fechando a porta, orem a seu Pai que está em secreto, e seu Pai, que vê em secreto, recompensará vocês *publicamente*" (Mateus 6.6).

Você pode sentir que faz um trabalho ingrato. Talvez você tenha trabalhado no berçário da igreja por dez anos, e o único retorno que obteve foi de alguns poucos pais que reclamaram pela forma como você cuidou dos seus filhos. Ou, quem sabe, tenha sido introdutor na igreja por cinco anos, e ninguém mesmo disse obrigado por sua fidelidade. Ou, talvez, você seja um intercessor, e ninguém sabe que você está orando por eles. Mas você é motivado a fazer o que faz "como para o Senhor".

Não se desencoraje em fazer o bem, pois Deus está vendo tudo o que você está fazendo pelos outros, como se fosse a favor dEle. Nenhuma boa obra que você faça com a motivação correta passará despercebida ao Senhor. Deus vê todas as pessoas que você ajuda, cada pessoa de quem você cuida. Ele sabe de cada momento que demonstrou a alguém um pouco de misericórdia, cada vez que perdoou a alguém; e Ele o recompensará por isso. Se você estiver buscando a recompensa de Deus, continuará a fazer as coisas com a motivação correta.

O Que Fazer quando os Problemas Vêm

Cedo ou tarde, temos alguns problemas na vida. Enfrentam algumas aflições e tribulações. Atravessamos momentos de prova. E nem todas as tempestades são previstas. Às vezes acordamos e pensamos que tudo irá bem naquele dia. Antes que o dia termine, podemos ter sido testados com todo o tipo de problema que nem esperávamos.

Problemas fazem parte da vida, e assim simplesmente temos de estar preparados para eles. Precisamos ter uma resposta planejada para o problema, porque é mais difícil obter fortalecimento após o problema chegar. É melhor estar preparado sempre permanecendo fortes.

A primeira coisa que precisamos fazer quando o problema chega é orar: *Deus, ajude-me a permanecer emocionalmente estável.* Não deixe que suas emoções o subjuguem. A próxima coisa que você precisa fazer é confiar em Deus. No instante em que o medo brotar, ore.

Permaneça emocionalmente estável, confie em Deus e ore. E, então, enquanto você espera pela resposta de Deus, simplesmente continue fazendo o bem. Mantenha seus compromissos. Não pare de servir a Deus apenas porque você tem um problema. O maior momento no mundo para manter seus compromissos com Deus é em meio às dificuldades e adversidades. Quando o diabo vê que as tribulações e aflições não podem parar você, ele vai parar de atormentá-lo por um tempo.

"E não vamos nos desanimar e nos desencorajar e desfalecer em agir de forma nobre e fazendo o que é certo, pois no devido tempo e na estação apropriada nós colheremos, se não desanimarmos e perdermos nossa coragem e desfalecermos" (Gálatas 6.9).

Assim, existem quatro coisas a fazer quando os problemas chegarem: permaneça emocionalmente estável, confie em Deus, ore imediatamente para evitar ser tomado pelo medo e mantenha-se fazendo o bem. A quinta coisa a fazer é *esperar uma recompensa.*

Raramente fazemos alguma dessas coisas quando o problema chega, mas isso pode acontecer por não termos um plano. Creio que precisamos nos fortalecer praticando esses passos, mesmo quando não estamos em problemas.

Para estar preparado da próxima vez que se encontrar em dificuldades, pratique dizendo: "Eu serei fiel a Deus, e Deus me dará uma recompensa dobrada pelas lutas enfrentadas. Satanás, você pensa que vai me ferir, mas receberei uma dupla bênção, porque sou aquele que diligentemente busca ao Senhor".

A Vontade de Deus para Você

Esta é a vontade de Deus para você: bênçãos dobradas estão estocadas para sua vida porque você crê que a "Ele é recompensador daqueles que sincera e diligentemente o buscam" (Hebreus 11.6).

Como você pode ver, há uma condição, e essa condição é crer. Onde há um privilégio, também há uma responsabilidade. Se você fizer sua parte, Deus nunca falhará em fazer a parte dEle.

Você terá problemas, mas o que importa é *como* você responde a eles. Não fique desencorajado, desapontado, deprimido, negativo, sem esperança, quando as tribulações vierem. Em vez disso, apenas lance-as fora e mantenha-se prosseguindo. Há um lado bom do problema: quando você está em meio aos problemas, pode experimentar o conforto de Deus.

Jesus disse: "Bem-aventurado e invejavelmente feliz [com uma alegria produzida pela experiência do favor de Deus e especialmente condicionada pela revelação de sua graça incomparável] são aqueles que choram, pois eles serão consolados" (Mateus 5.4).

Se realmente compreendermos quão maravilhoso é o conforto de Deus, quase valerá a pena ter um problema apenas para experimentar Seu maravilhoso consolo. A Bíblia diz: "Bendito seja o Deus e Pai do nosso Senhor Jesus Cristo, o Pai de misericórdia (piedade e compaixão) e o Deus [que é a Fonte]) de toda a consolação (conforto e encorajamento). Que nos conforta (consola e encoraja) em cada problema (calamidade e aflição), para que possamos também ser capazes de confortar (consolar e encorajar) aqueles que estão com qualquer tipo de problema ou aflição, com o conforto (consolação e encorajamento) com o qual nós mesmos somos confortados (consolados e encorajados) por Deus" (2 Coríntios 1.3-4).

Deus nos conforta para que possamos confortar os outros.

Desfrutando o Favor de Deus

Algo mais que precisamos confessar todos os dias é: "Tenho favor diante de Deus, e Deus me concede favor diante dos homens. Caminho no favor de Deus". Quando você tem o favor de Deus, as pessoas gostam de você e querem fazer coisas para você, e elas nem mesmo sabem por quê. Não há uma razão natural, mas elas são atraídas a você e querem ser boas, apenas querem ser uma bênção para você.

O favor de Deus é maravilhoso. As pessoas que têm sido abusadas precisam aprender a lançar fora suas ofensas e apenas desfrutar esse livre dom da graça de Deus. Aquele que se humilha desfrutará mais e mais favor em sua vida.

Pedro foi alguém que facilmente se ofendia, mas que aprendeu a se humilhar e desfrutar o favor de Deus.

As Bênçãos de Deus São Maiores do Que Você Possa Imaginar

Se eu não tivesse aprendido a lançar meus cuidados sobre o Senhor e não o deixasse me fortalecer e firmar, não estaria desfrutando as bênçãos dobradas sobre as quais agora ministro. Quando Deus nos chamou para irmos para a TV, o Espírito de Santo visitou Dave certa manhã enquanto ele penteava o cabelo. Deus lhe disse: "Tenho preparado você e Joyce todo esse tempo para irem à TV".

Não sabíamos que estávamos num tempo de preparação durante todos aqueles anos quando fomos fiéis em viajar por qualquer lugar para conduzir encontros para 50 a 100 pessoas; dormindo em estacionamentos do Mcdonalds por não termos dinheiro para ficar em hotéis, porque nós desejávamos pregar a qualquer preço; enfrentando e suportando a rejeição da igreja local. Tudo isso foi preparação para um trabalho maior.

Soubemos permanecer fiéis, mas nunca sonhamos que a recompensa de Deus seria assim tão grande. Agora desfrutamos o prazer de pregar a Palavra a um público de vários milhares de pessoas por reunião, que estão famintas para conhecer a Deus mais intimamente. Nosso programa *Vida na Palavra* (atualmente, *Desfrutando a Vida Diária*) é transmitido diariamente para mais de 400 estações de TV, com uma audiência potencial de 2,5 bilhões de pessoas, em aproximadamente dois terços do mundo. Desde 1988, já editamos mais de 50 livros, 36 dos quais têm sido traduzidos para 45 idiomas, e distribuímos cerca de 3 milhões de cópias. Atribuo isso somente a Deus. O Senhor tem uma recompensa em mente para nós, e suas bênçãos continuam a crescer cada ano.

Não sei se era isso que Deus tinha em mente quando Ele me disse: "Apenas prossiga, Joyce, Eu lhe darei a você a porção dobrada por suas lutas. O que o diabo intentou para o mal contra você Eu o tornarei em bem, para que você esteja numa posição de ajudar muitas pessoas".

Deus tem essa mesma mensagem para todos. Devemos suportar um tempo de preparação, mas podemos estar seguros, "sabendo que [Deus sendo o nosso parceiro em nosso esforço] todas as coisas cooperam juntamente e são [ajustadas no plano] para o bem daqueles que amam a Deus e são chamados de acordo com o [Seu] desígnio e propósito" (Romanos 8.28).

Assim, da próxima vez que você enfrentar um problema, não faça caso disso. Se você ama a Deus e faz a vontade dEle em sua vida dando o seu melhor, então pode estar certo de que tudo cooperará para o seu bem. Servimos a um Deus que toma as coisas más e trabalha nelas para o bem.

A Grande Troca de Deus

Deus está no negócio de trocas; Ele toma toda a sucata que não queremos e as transforma em todo o bem que tem reservado para nós.

Por exemplo, quando me casei com Dave, não tinha dinheiro algum. Não tinha carro, mas Dave tinha. Quando me casei, subitamente passei a ter carro e dinheiro, porque, quando Dave e eu nos casamos, tudo o que ele tinha instantaneamente tornou-se meu também.

Da mesma forma acontece quando nos comprometemos com Jesus. Ele é o noivo, e nós somos a noiva dEle. Nós não nos tornamos herdeiros da sua promessa simplesmente porque *O namoramos*, mas ao nos comprometermos plenamente com Ele numa aliança de casamento. Algumas pessoas querem apenas "namorar" Jesus, esperando que ainda assim consigam bênçãos dobradas.

O poder que está no nome de Jesus é desfrutado somente por aqueles que *pertencem* a Ele. Não tive o nome de Dave até que me casasse com ele. Quando você vem ao Senhor e Lhe entrega tudo em sua vida, inclusive o sofrimento e injustiça, Deus promete tomar tudo o que está errado e transformá-lo no que é certo.

Jesus disse:

> Se você [realmente] me ama, guardará (obedecerá) os meus mandamentos (João 14.15). Aqueles que O amam e obedecem a Ele receberão sua grande troca, descrita em Isaías 61.7: "Ao invés da sua [antiga] vergonha você terá uma dupla recompensa; ao invés de desonra e da reprovação [seu povo] irá se alegrar em sua porção. Portanto, em sua terra eles possuirão o dobro [que perderam]; alegria eterna lhes pertencerá".

27

Sacuda Isso

SEMPRE HAVERÁ novas oportunidades para aplicarmos os princípios de abandonarmos o passado e prosseguirmos para obter a recompensa de Deus, como nós já abordamos neste livro. Alguém que é importante para você, inevitavelmente, acabará fazendo algo que o ferirá. Quando isso acontecer, você terá de novamente decidir receber o amor de Deus e perdoar àquele que o feriu, orar por ele e abençoá-lo, crer que Deus transformará a situação para o seu bem e, então, esperar pelo prêmio de sua recompensa.

Para encorajar sua fé a prosseguir e obter o supremo prêmio da liberdade do sofrimento emocional, Deus incluiu muitas histórias de vitória na Bíblia para lembrá-lo de pessoas que aprenderam a livrar-se das ofensas e permaneceram fiéis ao Senhor. De fato, a Bíblia é cheia de histórias daqueles que receberam a dupla recompensa por permanecerem fiéis.

José saiu da cisterna para o palácio. Daniel saiu da cova dos leões para um lugar de promoção.

Rute começou comendo sobras no campo porque ela foi fiel à sua sogra que ficaria sozinha se ela não a acompanhasse. Os maridos de ambas tinham morrido e Rute poderia ter voltado para a segurança do seu próprio povo. Sua sogra lhe disse: "Apenas volte". Mas ela disse: "Não, eu ficarei com você, e seu povo será o meu povo, e seu Deus será o meu Deus" (veja Rute 1.16). Então Deus lhe concedeu favor, e Rute acabou se casando com Boaz, que simplesmente era o homem mais rico do país.

Ester começou como uma assustada serva do rei, que não estava realmente feliz com a posição que lhe fora oferecida. Mas ela foi obediente ao que Deus lhe orientara a fazer e passou de órfã à rainha que salvou toda sua nação.

Então, certamente, temos a história de Jó.

A coisa admirável sobre Jó é que Deus permitiu que ele atravessasse aquelas dolorosas experiências porque sabia que ele as enfrentaria de forma bem-sucedida. Deus conhecia Jó como um homem em quem Ele podia confiar. Se você nunca leu todo o livro de Jó, encorajo-o a fazê-lo.

O diabo pensava que Jó era fiel a Deus somente porque Ele o protegia. Assim Deus disse a Satanás: "Muito bem, então, nós removeremos um pouco da sua proteção, e você descobrirá que ele permanecerá fiel a mim" (veja Jó 1.12). E assim Deus permitiu que Satanás atacasse e destruísse cada coisa boa que Jó possuía. Ele tomou tudo de Jó, exceto sua vida, mas Jó, ainda assim, não negou sua aliança com o Senhor.

Como resultado da sua fidelidade "mudou o Senhor a sorte de Jó, quando este orava pelos seus amigos; e o Senhor deu-lhe o dobro de tudo o que antes possuíra." (Jó 42.10-ARA). É importante notar que o Senhor mudou o cativeiro de Jó e restaurou sua fortuna *quando* ele orou por seus amigos. Esses eram os mesmos "amigos" que grandemente desapontaram a Jó, que não o apoiaram e que o julgaram e criticaram. Mas o Senhor deu a Jó o dobro do que ele tinha, porque ele foi fiel em continuar a fazer a coisa certa, embora isso fosse doloroso.

O Senhor deu o dobro do que Jó tinha antes de o problema começar. Deus deu-lhe uma bênção dupla por todos os problemas que ele enfrentara. Os versículos 12 e 13 do capítulo 42 dizem que Jó: "... veio a ter catorze mil ovelhas, seis mil camelos, mil juntas de bois e mil jumentas. Também teve outros sete filhos e três filhas".

Agora, você pode não desejar ter ovelhas ou camelos, bois ou jumentos ou, mesmo, mais filhos, mas Deus sabe qual tipo de bênção dobrada lhe dar pela sua fidelidade. Porém, para permanecer prosseguindo e colher sua bênção dupla, você terá de aprender a "sacudir" (livrar-se de) os problemas que surgem em seu caminho.

Uma das minhas histórias favoritas é sobre o jumento de um fazendeiro que caiu num poço vazio. O animal urrava dolorosamente por horas enquanto o fazendeiro tentava imaginar o que fazer pelo seu pobre jumento. Finalmente, ele concluiu que o poço era muito fundo e, realmente, precisava ser coberto de alguma forma; além disso, o jumento estava velho, e haveria muito problema para tirá-lo dali. O fazendeiro decidiu que não valia a pena tentar recuperar o animal, e assim ele pediu aos vizinhos que o ajudassem a encher o poço e sepultar o jumento.

Todos eles pegaram pás e começaram a lançar entulho no poço. O jumento, imediatamente, percebeu o que estava acontecendo e começou a urrar horrivelmente. Gritar seria nossa resposta normal se alguém estivesse nos maltratando dessa forma tão cruel, assim o jumento respondeu da mesma forma que fazemos a princípio, mas, então, finalmente se aquietou. Após algumas pás de entulho mais tarde, o fazendeiro olhou para o fundo do poço e ficou espantado com o que viu. A cada pá de entulho que ele lançava sobre o animal, o jumento simplesmente os sacudia e subia sobre o entulho.

À medida que os vizinhos e o fazendeiro continuavam a jogar o entulho sobre o animal, ele continuava sacudindo-o e subindo sobre ele. Logo, o jumento sacudiu a última porção de entulho, endireitou-se e saiu do poço.

Podemos aprender muito com essa história. Quando os problemas surgem, se pararmos de lamentar o tempo suficiente para nos aquietarmos e atentarmos, Deus nos dirá o que fazer.

Pela graça e misericórdia de Deus, tornei-me capaz de sacudir muitas coisas em minha vida: sentimentos ruins, maus tratos, abuso, muitas coisas injustas, desleais, desagradáveis. Mas agradeço a Deus por, finalmente, ter aprendido enquanto as sacudia e também crer em minha recompensa.

A expectativa da recompensa de Deus lhe dá a esperança de que Ele não o deixará sem defesa e está fazendo algo a seu favor. Da próxima vez que as pessoas que você conhece se irarem com alguma coisa, diga-lhes: "Sacuda isso". Quando você encontrar alguém que está deprimido, diga: "Sacuda isso". Se as pessoas que você conhece estão se lamentando porque alguém as feriu, diga: "Sacuda isso". Eu lhe dou a permissão para pregar essa mensagem a todos que precisarem ouvi-la.

Problemas Virão

Você pode pensar que estará completamente livre de enfrentar problemas porque está servindo a Deus, mas isso não é verdade. De fato, se Deus o envia para ministrar aos outros, você pode estar quase certo de que terá problemas. Mas, como os três jovens hebreus que foram lançados na fornalha de fogo, você pode esperar passar pelo fogo da provação sem mesmo cheirar fumaça ao sair, como Sadraque, Mesaque e Abede-Nego fizeram (veja Daniel 3.23-27).

Jesus deu aos seus discípulos autoridade sobre os espíritos imundos que tentariam lhes trazer problemas. Ele também lhes disse o que fazer quando as pessoas que eles tentavam alcançar os rejeitassem:

> E Ele chamou para si os doze [apóstolos] e começou a enviá-los [como Seus embaixadores] de dois em dois e deu-lhes autoridade e poder sobre os espíritos imundos.

> Ele os orientou a não levar nada para sua jornada, exceto seu bordão, nem pão, nem alforje, nem dinheiro em seus cintos (bolsas, cintas).
>
> Eles deveriam ir apenas com sandálias em seus pés e não levarem duas túnicas (vestimentas).
>
> E Ele lhes recomendou, Quando vocês entrarem numa casa, permaneçam ali até deixarem aquela cidade.
>
> E se alguém não receber, aceitar e acolher vocês, e recusarem-se a ouvi-los, quando vocês partirem, sacudam o pó sob seus pés, como testemunho contra eles. *Verdadeiramente Eu lhes digo, que haverá mais tolerância para Sodoma e Gomorra no dia do juízo do que para aquela cidade* (Marcos 6.7-10).

Jesus está nos mostrando que Ele proverá tudo o que for necessário para servi-lo. Os discípulos não precisavam de roupa extra ou dinheiro. Eles receberam autoridade sobre o problema que viria contra eles, e se alguém não os aceitasse eles deveriam simplesmente "sacudir" isso. Assim, eles foram e pregaram em vários lugares a mensagem de arrependimento e salvação.

Se você quer ser usado por Deus ou quer caminhar com Deus, experimentará certo nível de rejeição, e muito provavelmente essa rejeição virá de pessoas que importam muito para você: sua família ou amigos íntimos.

Se Deus o toca e você quer ter um relacionamento mais profundo com Ele do que com alguns dos seus amigos da igreja, até mesmo eles provavelmente o rejeitarão. As pessoas não querem que outras cheguem onde elas mesmas não estão desejando ir. Se elas querem perseguir interesses carnais e você quer seguir o Espírito, elas podem abertamente rejeitá-lo por sua escolha.

Jesus disse das pessoas dos seus dias que resistiram e se opuseram a ele: "Eles me odiaram sem motivo" (João 15.25). Realmente me chocou pensar quão triste isso deve ter sido. Jesus tentou ser bom para as pessoas, mas, em vez de amá-Lo e apreciá-Lo por isso, elas O odiaram.

José teve um sonho, e seus irmãos o odiaram por isso (veja Gênesis 37.5). Estevão era cheio de graça e poder e realizava grandes sinais e milagres entre o povo, mas os líderes religiosos o odiaram por sua inteligência, sabedoria e inspiração do Espírito por intermédio de quem ele falava, e assim eles o prenderam e, finalmente, o apedrejaram (veja Atos 6.8-12; 7.58).

É admirável quão facilmente pode-se atrair ódio, inveja e ciúmes dos outros. Se você tentar ser bom, alguém o odiará por isso. Mas, se você responder-lhes com a mesma ira que eles demonstram, estará sendo impedido de ser abençoado. Não permita que as pessoas o reduzam ao nível delas, mas sacuda isso e levante-se.

É difícil sacudir a rejeição. Ela machuca. Mas machuca ainda mais viver por sentimentos. Aprenda a sacudir a poeira da rejeição e do desapontamento.

Certa vez, eu estava tentando ajudar alguém e realmente senti que estava fazendo a coisa certa. Sempre fui muito ocupada e nunca tive de procurar alguma coisa para fazer, e assim eu sentia que realmente estava fazendo um sacrifício de tempo e esforço ao tentar ajudar essa pessoa. Mas, não importava o que eu fizesse, essa pessoa sentia que não era o suficiente, e, assim, eu me sentia atormentada por isso.

Eu pensava que Deus queria que a ajudasse porque essa era a minha missão como cristã. Mas parecia que, a despeito dos meus melhores esforços, nada que eu fizesse era bem-sucedido, compreendido ou apreciado. Finalmente, cheguei a um ponto em que percebi que minha responsabilidade era *tentar* ajudar a pessoa, mas eu não era responsável pela felicidade dela.

Quase sempre queremos que todos estejam felizes com tudo o que fazemos. Mas temos de desistir de pensar que sempre faremos as pessoas felizes. Temos de fazer o que acreditamos ser o correto, o que acreditamos que Deus está nos levando a fazer, mas temos de perceber que cada um é responsável pela sua própria felicidade.

Jesus disse a Seus discípulos que pregassem. Eles fizeram o que deveriam fazer. Mas Ele lhes disse que, se as pessoas não os recebessem ou ouvissem sua mensagem, eles não deveriam deixar a indiferença dos outros se tornar um bloqueio para o seu próprio chamado.

Não desista do seu ministério nem se sente e lamente tristemente por horas apenas porque nem todos o recebem ou o apreciam. Sacuda isso e prossiga para a próxima cidade, para a próxima pessoa que precisa ouvir o testemunho daquilo que Deus tem feito em sua vida.

Se a rejeição paralisar você, então o espírito de rejeição prevalecerá. Você não pode parar de fazer o que é certo simplesmente porque alguém não gosta do que você está fazendo.

De fato, eu me aventuraria a dizer que cada vez que Deus está prestes a promovê-lo e a levá-lo a um novo nível, você experimentará um ataque de rejeição no lugar onde se encontra agora. Satanás usará a rejeição para tentar paralisá-lo ou mesmo levá-lo a um nível mais baixo.

Por isso muitas pessoas são rejeitadas por seus próprios familiares quando elas são cheias do Espírito Santo. Elas vão para casa bastante empolgadas para dizer a todos que elas estão vivendo para o Senhor somente para perceber que subitamente se tornam a "estranha" da família. Satanás usa as pessoas que são mais significativas para nós a fim de nos rejeitar e tentar nos levar de volta aos nossos antigos caminhos.

Suba de Nível

Como o jumento no poço, você precisa sacudir cada pá cheia de abuso e rejeição e usá-la para manter-se subindo de nível até que esteja livre para desfrutar a vida que Deus planejou. Você já chegou a um novo nível com Deus. Sua fé já é mais forte hoje do que era ontem. Você está mais preparado para a próxima vez em que o abuso for lançado contra sua vida.

Desse dia em diante, você caminhará num nível mais poderoso com Deus porque está determinado a ser fiel a Ele, não importa o custo. Você é mais perigoso para o inimigo quando se apropria do poder do Espírito Santo que habita dentro de você.

Porque você crê em Jesus e recebe seu Espírito Santo, pode orar e receber o melhor de Deus em sua vida. Você é livre para avançar com determinação em direção à recompensa de Deus, e seu testemunho causará grande dano à obra do inimigo. Em razão disso, ele tentará influenciar tantas pessoas quanto for possível para criticá-lo e se opor a você.

Mas lembre-se do jumento: humilhe-se e sacuda isso! Use o que o inimigo planeja contra você para chegar mais perto do lugar onde Deus quer que você esteja.

Por exemplo, pediram a mim e a Dave que deixássemos nossa igreja local quando Deus começou a se mover em nossa vida, mas, então, Ele nos levou a outra igreja na qual o pastor nos aceitou e nos cobriu com oração e aceitação.

A Bíblia diz que não lutamos contra a carne e o sangue, mas contra principados, poderes e as forças da maldade nos lugares celestiais (veja Efésios 6.12). Satanás continuará a tentar usar as pessoas para nos impedir de prosseguir. Se for possível, ele usará as pessoas que conhecemos e amamos para que as feridas de sua rejeição e desaprovação sejam mais profundas e dolorosas.

Algumas vezes, tememos a desaprovação das pessoas de tal forma que não damos um passo para o próximo nível com Deus porque já sabemos que alguém não irá gostar disso. É impressionante o número de vezes que nos submetemos às pessoas em vez de nos submetermos a Deus.

Jesus disse: "Aquele que ouve e dá atenção a vocês [como meus discípulos] ouve e dá atenção a mim; e aqueles que desprezam e rejeitam a vocês, desprezam e rejeitam a mim, e quem despreza e rejeita a mim, despreza e rejeita Aquele que me enviou" (Lucas 10.16). Ele está nos dizendo que não devemos tomar a rejeição de forma pessoal. Se as pessoas estão nos rejeitando quando seguimos ao Senhor, então elas estão rejeitando a Jesus e ao Pai.

Agora, compreenda que, antes mesmo de você entregar seu coração ao Senhor, o diabo conhecia o plano de Deus para sua vida e fez tudo o que podia para impedir você de recebê-Lo. É possível que quanto maior o chamado de Deus em sua vida, maior o abuso que virá contra você. Se você considerar a guerra do mundo espiritual à luz da Palavra de Deus, compreenderá que Satanás enviou todos os problemas que existem contra sua vida porque ele sabia que Deus estava buscando você para abençoá-lo.

Mas Jeová é o Senhor dos Exércitos. Ele está lutando por você, e isso o faz mais que vencedor. A batalha contra você já foi vencida. Você tem a promessa de receber uma bênção dobrada em razão da luta que enfrentou

Permaneça Cheio da Alegria do Senhor

O apóstolo Paulo disse: "Agora, estou tentando ganhar favor de homens ou de Deus? Busco eu agradar aos homens? Se ainda buscasse a popularidade dos homens, não seria um servo de Cristo (o Messias)" (Gálatas 1.10).

Podemos ver na passagem das Escrituras abaixo que Paulo aprendeu a sacudir a rejeição e continuar em alegria:

> E a Palavra do Senhor [com relação à eterna salvação através de Cristo] propagou-se e espalhou-se através de toda a região.
>
> Mas os judeus incitaram mulheres devotas de alta posição e homens de destaque da cidade, e os instigaram a perseguir Paulo e Barnabé e expulsá-los de seus limites. Mas [os apóstolos] sacudiram seus pés contra eles e prosseguiram para Icônio.
>
> E os discípulos eram continuamente cheios [em suas almas] da alegria e do Espírito Santo (Atos 13.49-52).

Permaneça continuamente cheio da alegria e do Espírito Santo em sua alma; mantenha sua mente, sua vontade e suas emoções fixadas na alegria que está disponível por intermédio da presença do Senhor que habita em nós. Você perderá sua alegria caso se preocupe com aquilo que as pessoas pensam a seu respeito. Sacuda sua autoconsciência e "seja cheio e estimulado com o Espírito [Santo]" (Efésios 5.18). Permaneça cheio de alegria, não importa qual problema venha contra você. Faça o melhor que acredita ser a vontade de Deus em cada situação.

Se as pessoas não têm amor suficiente para mostrar um pouco de misericórdia simplesmente porque você não faz tudo o que elas querem, então, esse é um problema entre elas e Deus. Não viva tentando ser popular; viva para fazer a vontade de Deus.

Para obedecer a Deus, José teve de sacudir muitas feridas e desapontamentos, tais como a traição de seus irmãos, as mentiras da esposa de Potifar e a promessa esquecida do copeiro que ajudara. Mas, como resultado de permanecer firme, José era colocado numa posição de destaque por onde quer que fosse. Deus lhe deu uma dupla recompensa por suas lutas, e ele foi tremendamente abençoado (veja Gênesis 37-Êxodo 1).

Da mesma forma, as pessoas não gostaram de Daniel porque ele era um homem piedoso que se manteve sacudindo a rejeição. Ele foi tão rejeitado que foi atirado na cova de leões famintos, mas Deus fechou a boca dos leões. Quando o rei viu o que Deus tinha feito por Daniel, proclamou: "Eu emito um decreto de que em todo o meu domínio real os homens temam e tremam diante do Deus de Daniel, pois Ele é o Deus vivo, permanente e inabalável para sempre, e seu reino não será destruído e seu domínio não terá fim" (Daniel 6.26).

A firmeza de Daniel em permanecer caminhando com Deus inspirou toda uma nação a crer que Deus "é Salvador e libertador, e Ele opera sinais e maravilhas no céu e na terra, e foi Ele quem libertou Daniel do poder dos leões" (Daniel 6.27).

Na carta de Paulo aos Tessalonicenses, começando em 2 Tessalonicenses 1.3, ele dá graças porque os crentes estavam crescendo em fé, no amor uns pelos outros, e estavam firmes em meio às perseguições e aflições.

No versículo 6, Paulo assegura aos crentes que Deus retribuiria com aflição e angústia aqueles que os afligiram e os angustiaram. Então, ele escreveu sobre a determinação de Deus em recompensá-los:

> E para [recompensar] vocês que estão tão aflitos e angustiados [para lhes conceder] confiança e descanso juntamente conosco [seus companheiros sofredores] quando o Senhor Jesus for revelado do céu com seus poderosos anjos numa chama de fogo; para retribuir (com castigo e vingança) àqueles que não reconhecem nem percebem, nem se aproximam de Deus, e [sobre aqueles] que ignoram e se recusam a obedecer o evangelho do nosso Senhor Jesus Cristo (2 Tessalonicenses 1.7-8).

Assim, se você é perseguido por fazer o que é certo aos olhos de Deus, alegre-se. O apóstolo Pedro disse: "[Afinal] que tipo de glória há [nisso] se, quando vocês fizeram algo errado e forem punidos por isso, tiverem que suportar pacientemente? Mas se vocês suportarem pacientemente com sofrimento [resultante de] por fazer o que é certo e forem mal compreendidos, isso é aceitável e agradável a Deus" (1 Pedro 2.20).

Quando você sofre por fazer o que é certo, Jesus o chama de abençoado, dizendo: "Abençoado, feliz, afortunado e espiritualmente próspero (num estado no qual um filho recém-nascido de Deus desfruta e encontra satisfação no favor e salvação de Deus, a despeito de suas condições exteriores) são aqueles que são perseguidos por causa da justiça (por serem retos e fazer o que é reto), pois deles é o reino dos céus!" (Mateus 5.10).

Pedro sacudiu seus fracassos, Paulo sacudiu a rejeição, e você tem de sacudir tanto o fracasso quanto a rejeição se quiser ser usado por Deus. Mas uma dupla recompensa lhe está reservada.

Sacuda a falta de perdão, o ressentimento, os problemas, a autopiedade. Sacuda a rejeição, a ofensa, a traição, a fofoca, a crítica e o beijo de Judas. Sacuda as discussões com familiares, amigos íntimos, estranhos. Sacuda suas próprias falhas e erros. Sacuda o desapontamento por sua própria imperfeição.

Apenas supere isso e prossiga.

A estação do choro acabou. É tempo de se alegrar.

28

Uma Milagrosa Recompensa

ENQUANTO EU estava revisando os manuscritos para a primeira edição deste livro, Deus moveu-se de forma poderosa e trouxe libertação e cura para o meu relacionamento com meu pai. Não creio que foi por acaso que a miraculosa conclusão da minha história tenha ocorrido no mesmo momento em que a estava incluindo neste livro.

Embora eu tivesse perdoado ao meu pai, nosso relacionamento permanecia estremecido e desconfortável. Ele nunca admitira plenamente a responsabilidade por seus atos ou quão devastador seu comportamento tinha sido para minha vida. Através dos anos, eu me esforçava ao máximo para ter algum tipo de relacionamento com meus pais, mas esse era um continuo desafio.

Eu tentei em duas ocasiões confrontá-los, mas nenhum desses esforços foi bem-sucedido. Cada confronto trazia muita ira, descontrole e vergonha, sem qualquer resultado positivo. Ao menos, a porta tinha sido aberta, e Deus estava trabalhando em secreto, por trás dos bastidores, mesmo quando parecia que nada havia mudado.

Após ter trazido meus pais para morar perto de mim, Deus começou a lidar comigo sobre o mandamento bíblico: "Honra teu pai e tua mãe" (veja Êxodo 20.12). Devo ser sincera em dizer que, embora desejasse honrá-los, eu me perguntava como poderia fazê-lo. Eu os visitava, telefonava, orava por eles, dava-lhe presentes, mas o Senhor continuava a me dizer: "Honra a teu pai e tua mãe". Eu sabia que Deus estava tentando me mostrar algo, mas não compreendia o que era.

Finalmente, numa noite, enquanto ouvia novamente "Honra a teu pai e tua mãe", eu disse ao Senhor que já fizera por eles tudo o que sabia e que não compreendia o que Ele desejava.

Então eu o ouvi dizer: "Honre-os em seu coração". Respondi: "Pelo que eu poderia honrá-los"? Deus me mostrou que eu podia honrá-los e estimá-los em meu coração por terem me dado a vida, por terem me alimentado e vestido e por terem me enviado à escola.

Eu fazia coisas por eles externamente, mas Deus via o meu coração. Eu achava difícil ter sentimentos de apreciação quando tudo de conseguia me lembrar era do sofrimento, mas, após ouvir a mesma coisa do Senhor por um ano, percebi que isso era importante, e fiz o que Ele dissera.

Orei: *Obrigada, Deus, por meus pais e pelo fato de les terem me dado vida física. Eles me trouxeram ao mundo; eles me alimentaram, me vestiram e me enviaram à escola, e eu os honro por terem feito isso*. Realmente percebi o que Deus estava dizendo, e naquele momento, sinceramente, agradeci pelo papel que meus pais desempenharam em minha vida.

Uma semana mais tarde, surgiu uma questão com relação ao nosso recém-lançado programa de TV, *Vida na Palavra*. Recebi notícias de que alguns familiares tinham visto o programa e disseram aos meus pais que assistissem a ele. Meu pai e minha mãe me perguntaram em qual canal eles poderiam sintonizar o programa, e percebi que precisava avisá-los de que eu fazia referência ao abuso da minha infância porque Deus me chamara para ajudar pessoas que tinham sido abusadas e maltratadas.

Eu não podia imaginar o que lhes causaria sintonizar um canal de TV e me ouvirem dizendo: "Eu vim de um passado de abuso na infância". Eu não queria feri-los. Fiquei preocupada, mas o que eu poderia fazer? Sabendo que as pessoas encontram facilidade em se relacionar comigo porque compartilho meu passado tão abertamente, orei muito e, então, reuni-me com Dave e nossos filhos. Decidimos que, embora o fato de meus pais tomarem conhecimento do que eu estava fazendo pudesse acabar com o pouco relacionamento que tínhamos, ainda assim eu tinha de seguir a vontade de Deus para minha vida.

Fomos visitá-los, e lhes contei a verdade, explicando-lhes que não estava fazendo isso para feri-los, mas que não tinha escolha se quisesse ajudar as pessoas que Deus me chamara para ajudar.

Vi o miraculoso poder de Deus em operação!

Meu pai e minha mãe sentaram-se ali e ouviram calmamente. Nenhuma ira foi demonstrada, não houve acusações, nem desvio da verdade.

Meu pai, então, compartilhou conosco o quanto ele lamentava por tudo que fizera comigo, que Deus sabia como ele estava triste e que se houvesse alguma maneira de voltar atrás ele o faria. Ele comentou que era dominado por algo e não conseguiu deixar de agir da forma que agiu. Contou que também tinha sido abusado quando criança e estava agindo como aprendera e tinha se acostumado a viver.

Ele ainda compartilhou que recentemente assistira a vários programas de TV sobre abuso e tinha começado a perceber quão devastador o abuso sexual era realmente. Ele me liberou para compartilhar o que eu achasse necessário e disse para não me preocupar com nada. Ele me disse que queria construir um relacionamento comigo e tentar ser meu pai e meu amigo. Minha mãe, obviamente, ficou empolgada com a idéia de poder ter um relacionamento verdadeiro com sua filha, seus netos e bisnetos.

Desse dia em diante, começamos a ver algumas mudanças em meu pai. Ele ia à igreja para reuniões especiais na Páscoa e no Natal, mas realmente nunca comentava muito a respeito. Ele ainda não tinha entregado seu coração a Jesus e ainda era alguém difícil de lidar. Finalmente, minha mãe me disse ter percebido que Deus estava lidando com meu pai. Ela disse: "Eu o tenho visto várias vezes sentado à beira da cama chorando".

Então, num dia de Ações de Graças, minha mãe me telefonou e disse: "Seu pai está muito doente para ir ao jantar da família hoje. Ele desejaria ir, mas se sente muito mal, mas ele quer saber se você e Dave poderiam vir aqui para vê-lo. Ele quer falar com você sobre algo".

Fomos. Quando entramos no quarto, ele começou a chorar e a dizer: "Eu apenas quero lhe dizer como lamento o que fiz com você. Estou tentando dizer-lhe há três anos, mas simplesmente não tinha coragem".

Essas foram suas exatas palavras. É interessante notar que havia *três anos* que eu trouxera meus pais para morar próximo de nós. Assim, nosso ato inicial de obediência ao Senhor foi uma semente plantada para quebrar o domínio de Satanás sobre a situação de meu pai. Então, ele chorou verdadeiramente arrependido. Eu disse: "Está tudo bem, papai, eu lhe perdôo".

Ele pediu a Dave que também lhe perdoasse, e Dave disse: "Eu lhe perdôo".

Então, lhe perguntei: "Você quer receber Cristo como seu Salvador"?

Ele disse: "Sim".

Porque ele verdadeiramente tinha se arrependido, foi totalmente diferente desta vez quando ele orou. Ele recebeu o Senhor e, embora ainda lutasse com dúvidas por vários dias pensando que agira muito mal para ser perdoado, finalmente pediu para ser batizado.

Nós o batizamos dez dias mais tarde, e eu lhe digo honestamente que nunca vi tal mudança no caráter de uma pessoa. Ele ainda está doente e se sente mal durante a maior parte do tempo, mas nunca reclama. Ele é realmente um dos homens mais doces que conheço.

Meu pai colheu resultados pelo que fez? Certamente! Ele já está velho e não tem muitos amigos. Ele não pode realmente sair muito. Mas, verdadeiramente, creio que mostrar-lhe amor, amor consistente, e obedecer a Deus por honrá-lo em meu coração foi o que finalmente destruiu os muros ao seu redor e o levou ao arrependimento.

Dave disse que o dia em que meu pai se arrependeu foi um dos maiores dias de sua vida. E ele disse isso a meu pai. Quanto a mim, agora compreendo plenamente a promessa de Deus, dita por intermédio do profeta Isaías: "Em vez da sua [antiga] vergonha, você terá uma dupla recompensa; em vez de desonra e da reprovação [seu povo], irá se alegrar em sua porção. Portanto, em sua terra eles possuirão o dobro [que perderam]; alegria eterna lhes pertencerá" (Isaías 61.7).

Recebemos uma bênção dobrada! Deus restaurou tanto a abusada *quando o abusador!*

Deus é fiel! Sonhe grandes sonhos e nunca desista de esperar!

Notas

1. STRONG, James. Greek dictionary of the New Testament. STRONG's exhaustive concordance of the Bible. Nashville: Abingdon, 1890, p. 39, item # 2588, heart (ed) Lucas 4.18.
2. STRONG, p. 69, item # 4937, "broken", Lucas 4.18.
3. MERRIAM-WEBSTER's collegiate dictionary. 10. edition, "abuse".
4. Para ouvir meu testemunho completo, escreva para nosso ministério e peça minha série de fitas "Trophies of God's Grace" (Troféus da Graça de Deus).
5. Eu também tenho disponível uma série de fitas chamada "Loving God, Loving Yourself and Loving Others" (Amando a Deus, Amando a Si Mesmo e Amando aos Outros", que você pode solicitar ao nosso ministério.
6. Para aprender mais sobre a libertação da culpa e condenação, escreva e peça meus estudos em fitas, *Guilt and Condemnation* (Culpa e Condenação).
7. STRONG. *Hebrew and chaldee dictionary*, p. 19, #954, "ashamed", Gênesis 2.25 .
8. WEBSTER's new world dictionary. 3. editiond college ed., "counfound".
9. *Ibidem*, "damn".
10. Se você quiser aprender mais sobre a graça de Deus, escreva para nosso ministério e peça meu estudo em fitas "Grace, grace and more grace" (Graça, graça e mais graça).

11. MERRIAM-WEBSTER's collegiate dictionary. Tenth edition, "covet".
12. *Ibidem*, "envy".
13. *Ibidem*, "jealously"
14. *Ibidem*, "drink".
15. Eugene, OR: Harvest House, 1986, p. 13.

Bibliografia

BACKUS, William, Ph. D. *Telling each other the truth*: the art of the true communication. Minneapolis, Minnesota: Betany House Publishers, 1985.

BACKUS, William; CHAPIAN, Marie. *Telling yourself the truth*. Minneapolis, Minnesota: Betany House Publishers, 1980.

BEATTIE, Melody. *Co-dependent-no more*: how to stop controlling others and starting caring for yourself. New York, New York: Harper & Row, Publishers, Inc./Hazelden Foundation, 1987.

CARLSON, David E. *Counseling and self-esteem.* Texas: Word Inc. Waco, 1988.

CARTER Les. *Putting the past behind:* biblical solutions to your unmet needs. Chicago, Illinois: Moody Press, 1989.

GALLOWAY, Dale E. *Confidence without conceit.* Old Tappan, New Jersey: Fleming H. Revell Company, 1989.

GRANT, Dave E. *The great lover's manifesto.* Harvest House Publishers, Eugene, Oregon, 1986.

HART, Archibald D. *Healing life's hidden addictions:* overcoming the closest compulsions that waste your time and control your life. Ann Arbor, Michigan: Vine Books, divisão da Servant Publications, 1990.

HOLLEY, Debbie. *The trickle-down theory of conditional love*. St. Louis, Missouri.

LAHAYE, Tim. *Spirit-controlled temperament*. Lamesa, California: Post Inc., Tyndale House Publishers/Illinois: Inc. Wheaton, 1966.

LITTAUER, Florence. *Discovering the real you by uncovering the roots of your personality tree*. Waco, Texas: Word Books, 1986.

MCGINNIS, Alan Loy. *Confidence*: how to succeed at being yourself. Minneapolis, Minnesota: Augsburg Publishing House, 1987.

SAUNDERS, Molly. *Bulimia! Help me, Lord!* Shippensburg, Pennsylvania: Destiny Image Publishers, 1988.

SOLOMON, Charles R. Ed. *The ins and outs of rejection*. Littleton, Colorado: Heritage House Publications, 1976.

SUMRALL, Lester. *Overcoming compulsive desires*: how to find lasting freedom. Lake Mary, Florida: Creation House, 1990.

WALTERS, Richard P., Ph.D. *Counseling for problems of self-control.* Word, Texas: Inc. Waco, 1987.

Sobre a Autora

Joyce Meyer é uma das líderes no ensino prático da Bíblia no mundo. Renomada autora de bestsellers pelo *New York Times*, seus livros ajudaram milhões de pessoas a acharem esperança e restauração através de Jesus Cristo.

Através dos *Ministérios Joyce Meyer*, ela ensina sobre centenas de assuntos, é autora de mais de 80 livros e conduz aproximadamente 15 conferências por ano. Até hoje, mais de 12 milhões de seus livros foram distribuídos mundialmente, e em 2007 mais de 3.2 milhões de cópias foram vendidas. Joyce também tem um programa de TV e de radio, *Desfrutando a Vida Diária®*, o qual é transmitido mundialmente para uma audiência potencial de 3 bilhões de pessoas. Acesse seus programas a qualquer hora no site www.joycemeyer.com.br

Tendo sofrido abuso sexual quando criança e a dor de um primeiro casamento emocionalmente abusivo, Joyce descobriu a liberdade de viver vitoriosamente aplicando a Palavra de Deus à sua vida, e deseja ajudar que os outros façam o mesmo. Desde sua batalha com câncer no seio até as lutas da vida diária, ela fala aberta e praticamente sobre sua experiência de modo que outros possam aplicar o que ela aprendeu às suas vidas.

Durante os anos, Deus proveu a Joyce com muitas oportunidades de compartilhar o seu testemunho e a mensagem de mudança de vida do Evangelho. De fato, a revista *Time* a selecionou como uma das mais influentes líderes evangélicas na America. Ela é um incrível testemunho do dinâmico e restaurador trabalho de Jesus Cristo. Ela crê e ensina que, independente do passado da pessoa ou dos erros cometidos no passado, Deus tem um lugar para elas, e pode ajudá-las em seus caminhos para desfrutarem a vida diária.

Joyce tem um merecido PhD em teologia obtido da Universidade Life Christian em Tampa, Florida; um honorário doutorado em divindade da Universidade Oral Roberts University em Tulsa, Oklahoma; e um honorário doutorado em teologia sacra da Universidade Grand Canyon em Phoenix, Arizona. Joyce e seu marido, Dave, são casados há mais de quarenta anos e são pais de quarto filhos adultos. Dave e Joyce Meyer vivem atualmente em St. Louis, Missouri.

O Vício de Agradar a Todos

Muitas pessoas em nossos dias têm uma necessidade incontrolável de afirmação, e são incapazes de se sentirem bem consigo mesmas sem ela. Esses "viciados em aprovação" passam todo o tempo em uma luta constante contra a baixa estima e a desordem emocional, o que causa enormes problemas no seu relacionamento com as outras pessoas.

Joyce Meyer oferece um caminho para a libertação da necessidade avassaladora pela aceitação do mundo exterior – uma aceitação que não traz realização, ao contrário, conduz à decepção. - (304 páginas - 15x23cm)

Eu e Minha Boca Grande! - Bestseller!

Mais de 600 mil de cópias vendidas

Sua boca está ocupada falando sobre todos os problemas de sua vida? Parece que sua boca tem vontade própria? Coloque sua língua em um curso de imersão para a vitória. Você pode controlar as palavras que fala e fazê-las trabalhar para você!

Eu e Minha Boca Grande, mostrará a você como treinar sua língua para dizer palavras que o colocarão em um lugar superior nesta vida. Joyce enfatiza que falar a Palavra de Deus deve vir acompanhado de viver uma vida em completa obediência à Biblia para ver o pleno poder de Deus fluindo em sua vida. - (215 páginas - 15x21cm)

Beleza em Vez de Cinzas

Neste livro Joyce compartilha experiências pessoais como o abuso que sofreu do pai, dificuldades financeiras e como Deus transformou as cinzas que haviam em sua vida em beleza. Receba a beleza de Deus para suas cinzas.
(266 páginas - 13,5 x 20 cm)

A Formação de um Líder

Este livro traz elementos indispensáveis para a formação de um líder segundo o coração do próprio Deus. Um líder que recebeu do Senhor um sonho que parecia ser humanamente impossível. - (380 páginas - 15 x 21 cm)

A Raiz da Rejeição

Neste livro Joyce Meyer lhe mostrará que Deus tem poder para libertá-lo de todos os efeitos danosos da rejeição. Nosso Pai providenciou um meio para que nós, como seus filhos, sejamos livres da raiz de rejeição.
(125 páginas - 13 x 20 cm)

Se Não Fosse pela Graça de Deus

Graça é o poder de Deus disponível para satisfazer todas as nossas necessidades. Através deste livro você irá conhecer mais sobre a graça de Deus e como recebê-la através da fé.
(198 páginas - 13,5 x 21 cm)

Visite: www.bellopublicacoes.com

Devocionais

Joyce Meyer

Começando Bem Seu Dia

Devocionais para cada manhã do ano. Palavras inspiradoras, vivas e de simples aplicações para cada novo dia. Adquira o seu, e começe bem seu dia. - (366 páginas - 11 x 15,5 cm)

Terminando Bem Seu Dia

Ricos devocionais para cada noite do ano. Mensagens que irão trazer forças e refrigério a cada final de dia. Adquira-o já, e passe a terminar bem seu dia. - (366 páginas - 11 x 15,5 cm)

A Decisão Mais Importante Que Você Deve Tomar

Mesmo que nosso corpo morra, o nosso espírito continua a viver na eternidade. Se seu espírito vai para o céu ou para o inferno, irá depender somente das escolhas que você faz. (59 páginas - 12 x 17 cm)

Curando o Coração Ferido

Se você foi ferido no passado ou se sente indigno, pode ser difícil receber o amor incondicional de Deus. Deixe a Palavra de Deus começar a operar em você hoje!
(88 páginas - 12,5 x 17,5 cm)

Paz

A paz deve ser o árbitro em nossa vida. Segue a paz e de certo gozarás vida. Jesus deixou-nos a Sua paz, uma paz especial, a paz que existe até no meio da tempestade.
(56 páginas - 12 x 17 cm)

Diga a Eles que os Amo

Uma grande porcentagem das dificuldades que as pessoas enfrentam tem origem na falta do conhecimento de que Deus as ama pessoalmente. Creia que você é importante para Deus! - (54 páginas - 12 x 17 cm)

Visite: www.bellopublicacoes.com